M. Maurice Maeterlinck

PELLÉAS ET MÉLISANDE
AND
INTÉRIEUR

BY

MAURICE MAETERLINCK

*EDITED WITH INTRODUCTION, NOTES
AND VOCABULARY*

BY

HUGH A. SMITH
PROFESSOR OF ROMANCE LANGUAGES

AND

HELEN M. LANGER
**INSTRUCTOR IN ROMANCE LANGUAGES
UNIVERSITY OF WISCONSIN**

NEW YORK
HENRY HOLT AND COMPANY

PREFACE

Among the dramatists writing in French, Maurice Maeterlinck, a Belgian by birth, is the best representative of certain phases of contemporary drama. Particularly he has developed symbolism and mysticism in the theatre further than any native French author of importance, and he may be called the creator of Static Drama.

Furthermore, Maeterlinck is an international figure whose wide popularity affords an excellent opportunity to test dramatic tastes and to study the trends of certain forms of the theatre outside of France, especially in England and America.

The two plays edited here are particularly suited to American students. The romance and beauty of *Pelléas et Mélisande* appeal strongly to the younger generation, and the symbolism in these pieces is not so extreme as to render them obscure. They are, in fact, in language and thought strikingly simple, so that one could hardly find anywhere else plays of real literary merit which offer so few difficulties in idiom. They can be read by any class that has made a few months study of French. There is unusual reason, then, to make them available because of their value both to the students who are learning the French language and to those who are interested primarily in literature.

H. A. S.

MADISON, WIS.
May, 1924.

INTRODUCTION

Maurice Maeterlinck was born in Ghent, in 1862, and passed his early life in that old Flemish city. Its shadow seems to have hung heavily over him, and, although this cloud has gradually been dispelled by the bright sun and Latin clarity of his long residence in France, it was a large factor in all his early plays. These are set in the vague and often gloomy atmosphere of old ruined castles, by broad, sleepy canals, under skies which rarely open to the sun.

He was several years in a Jesuit school and studied law in the University of Ghent. He even appeared at the bar but his legal career was of the briefest. In 1886 he went to Paris, ostensibly for further study, but actually his time there was given to art and literature. Particularly he fell under the influence of the French symbolists, who, headed by Verlaine and Mallarmé, were active just then, and this influence, according doubtless with his own temperament, was decisive. He turned definitely against realism, which was so widely prevalent at this time and which one might have expected his materialistic Belgian environment to encourage.

The next ten years, which are marked by the appearance of two collections of poetry and a few of his earlier plays, are very important in Maeterlinck's literary formation. They were mostly passed in Ghent where he was being drawn still deeper into symbolism and mysticism by a study of literature of this character. The writers who contributed to this formative period of his life are quite numerous. Among those whose influence was paramount is one of special interest to Americans — Emerson. Maeterlinck not only has written one of his earliest essays on Emerson, but he has cited him often with approval and it is certain that he is considerably imbued with the philosophy of the Sage of Concord. Maeterlinck's resemblance to Poe, which is also obvious, is perhaps more often to be explained by a kinship of spirit than as a direct result of Poe's influence.

In 1896 Maeterlinck definitely took up his residence in France, at first in Paris, but in later years, after he became famous, in the provinces. His winter home is in a beautiful villa in the South near Grasse and in summer he occupies the famous old Norman abbey of Saint Wandrille, which he bought and restored after it was left by the Benedictine monks. Beginning with the period of his French residence, one notes especially the influence of his wife who was formerly the actress Madame Georgette Leblanc. No one could be more modest in his attitude toward, and appraisal of his own literary works, nor more unassuming and retiring in his private life and tastes.

Maeterlinck's first play was *La Princesse Maleine* of which thirty copies were printed on a hand press by the author himself in 1889. It brought him extravagant, and, on the whole, unfortunate praise. Octave Mirbeau, in the *Figaro*, claimed to discover in it an absolute masterpiece, the equal or superior in beauty to any of the works of Shakespeare, but this assertion is even more eloquent of Mirbeau's incomprehension of Shakespeare than it is of his real acuity in seeing unusual merit in Maeterlinck.

The play is an obvious imitation of Shakespeare in some of its leading characters, in certain striking scenes and in numerous minor devices and details. Doumic was able to reply effectively to Mirbeau by asserting that it was made up from Shakespeare's rags.

But whatever merit there is in this drama is not in its pale copies of Hamlet, Lady Macbeth and King Lear and even less in Shakespearian portents and scenes of violence and madness. It is a merit not easy to isolate and more difficult still to describe, especially where it is so obscured by a borrowed and foreign emphasis. In spite of that, we can discern here at times what is so much clearer in his later plays that are unencumbered by Shakespearian trappings, namely, the power to suggest or evoke an interior drama, a travail of the spirit that is quite apart from the many second-hand and second-rate elements of the piece. It is a drama of poetry and mystery, or rather it becomes one later, for it is only foreshadowed in this apprenticeship play.

It should be said, to Maeterlinck's credit, that he disavowed most sincerely this attempt to make him a Belgian Shakespeare. Moreover, he took the lesson to heart in a practical way — which seems to be his usual reaction toward criticism. He is certainly a genuine admirer of Shakespeare. One could hardly be more so. Shakespeare's masterpieces

are constantly the touchstones of his dramatic
judgments. But he never again entered the shining,
tumultuous lists of Shakespearian drama; he re-
mained in his own garden and cultivated the flowers
and fruits of his native genius.

In sketching the important evolution that char-
acterizes Maeterlinck's dramatic career, it is impossible to ignore his volumes of essays, and especially *Le Trésor des Humbles*, collected and published in 1896, *La Sagesse et la Destinée* in 1889,
Le Temple Enseveli in 1902, and *Le Double Jardin*
in 1904. Whether most of his ideas and philosophy
were first conceived in connection with the com-
position of his plays or formulated in his mind in
the more complete systems of his essays is a question
beyond this sketch. What must be noted is that
these essays furnish the only solid basis for grouping
and judging his plays, since they not only avow the
philosophy and ideas on which his theatre is built
but often contain definite explanations of his dramatic intentions and systems.

The particular system in which are to be placed
most of his early plays, after *La Princesse Maleine*,
is explained in his essay on *Le Tragique Quotidien*,
found in *Le Trésor des Humbles*, which begins:
"There is an every-day tragedy which is more real,
deeper and more in keeping with our true existence than the tragedy of great adventures." . . .

"Is it while I am fleeing before a naked sword that
my existence attains its most interesting point?" . . .

"I admire Othello but he does not seem to me to
live the august daily life of a Hamlet, who has the

time to live because he does not act. Othello is admirably jealous. But is it not perhaps an ancient error to believe that the moments when such a passion and others of equal violence rule us are the moments when we most truly live? I have come to think that an old man, seated in his armchair, simply waiting beside the lamp, listening without knowing it to all the eternal laws that reign about him, interpreting, without understanding it, what there is in the silence of the doors and windows and in the small voice of the light, undergoing the presence of his soul and of his destiny, leaning a little his head, without suspecting that all the powers of this world are intervening and watching in his room like attentive servants, not knowing that the sun itself sustains the little table on which he rests his elbows and that there is not a planet in heaven nor a power of the soul which is indifferent to the dropping of an eyelid or the disclosure of a thought — I have come to think that this motionless old man was living in reality a deeper, more human and more general life than the lover who strangles his mistress, the captain who wins a victory or the 'husband who avenges his honor.'"

"It will be said perhaps that a motionless life would hardly be visible, that life must needs be animated by certain movements and that these various movements which are acceptable are to be found only in the small number of passions that have been utilized up to the present. I do not know if it is true that a Static theatre is impossible. It seems to me, even, that it exists." And Maeterlinck

is inclined to find the nearest approximation of this
static quality in the brief action of the Greek theatre,
and the most promising attempt to suggest or evoke
symbolically a deeper and more mysterious tragedy
or a dramatic dialogue, without actually putting
it in words, in some of Ibsen's plays.

The system described above, of which Maeterlinck is the chief creator, is the one best known by
the expressive and yet somewhat inadequate term,
Static Drama. It might be noted that the dramatist's choice of common, every-day life is in complete accord with the theory and practice of the
Naturalistic theatre then in vogue, but that his
ability to see real tragedy in such life was quite
different from the prevalent realistic conception of
a drama or comedy that was often trivial and un-
inspiring. However a fundamental difference is that
Maeterlinck concerns himself exclusively with the
interior drama, and would merely evoke this, often
by the vaguest symbols, while the Naturalists oc-
cupied themselves mostly with the drama of fact,
with external and physical details, plainly, and
often baldly, expressed.

The fatalistic and pessimistic philosophy which
is the basis of Maeterlinck's early tragic system is
fully expounded in his essays, but its most concise
expression perhaps is in the preface to his plays,
which, written later, is somewhat of a confession and
criticism.

"In these plays," he says, "one believes in tre-
mendous powers, invisible and fatalistic, of which
no one knows the intentions, but which this con-

ception of drama supposes to be malevolent, attentive to all our actions and inimical to joy, life, peace and happiness. Innocent, but involuntarily hostile lives are there united and divided to the ruin of all, beneath the grieved eyes of those who are wisest and who foresee the future but who can in no way alter the cruel and inexorable tragedy that Love and Death play with human beings. And Love and Death, and the other powers, display here a kind of malicious injustice, whose penalties — for this injustice does not reward — are perhaps only the whims of Destiny."

The plays that illustrate more or less perfectly this system and this philosophy are: *L'Intruse, Les Aveugles, Les Sept Princesses, Pelléas et Mélisande, Alladine et Palomides, Intérieur,* and *La Mort de Tintagiles,* appearing in the order named, from 1890 to 1894. The first of these, *L'Intruse,* is one of his good examples of Static Drama, as well as one of his most effective plays; the one where his peculiar method of evoking thoughts and drama which lie behind the words uttered seems most natural.

A family at night are sitting around a table next to the room where the sick mother is lying. The Grandfather is blind, and is anxious and troubled despite the assurance that his daughter is better. Gradually his uneasy inquiries communicate his unformulated fears to the others. A sister is momentarily expected, and the surmises with regard to her coming are skillfully used to suggest the approach of the Intruder, Death.

With sentences of primer-like simplicity, the

dramatist develops the growing uneasiness and fear of the group through their comments on incidents, natural in cause but portentous in their suggestions, such as the silence of the nightingales, the fear of the swans, the sound of the gardener's scythe, noises on the stairway, and the flickering of the dying lamp, until there are hurrying footsteps in the adjoining room and the attendant nun opens the door and makes the sign of the cross to indicate the mother's death. Action, in any proper sense, is practically absent, but there is a dramatic progression which is based on keen psychologic insight. Also the main drama is not in the actual dialogue spoken but in the train of thought that it constantly suggests.

Intérieur is a play of very similar method and effect. In this piece a young girl has been drowned and the whole drama is expressed in the dialogue of the persons who have to inform her family of the tragic event, and who stand looking in at the window, lacking the immediate courage to destroy the scene of contentment and happiness they see there.

It will be seen that the characters of this play in whose tragedy the audience is interested are neither seen nor heard on the stage — only their shadows appear through the window — and the sorrow and anguish which are closing in on them are merely evoked in the minds of the spectators and not acted. In this manner the author eliminates the actual appearance and personality of the actor, against whose deformation of the masterpieces of poetic drama he has more than once protested. Also there is no action whatsoever on the real stage.

Intérieur, then, is the one play where the conditions of Static Drama are perfectly realized. It is, moreover, both in style and in the character of its thought less child-like than *L'Intruse*, and for these reasons it has sometimes been considered the author's finest example of this form of drama. However, its dramatic effect is not as intense as that of certain other of his pieces.

Les Aveugles is also characteristic of the same system. It is the conversation of a group of blind patients, who have been taken into the forest by an old priest. While seated in the woods their guide has fallen dead, without their being aware of it, and they are left groping helplessly before an approaching storm and death.

This play has been given an allegorical explanation by making it symbolize Humanity wandering in the dark after the death of its guide the Church, and similar allegorical interpretations have been made for the other dramas of the author, whether they were all so intended by him or not.

This collaboration of Maeterlinck's admirers has been a craze, especially in countries outside of France, and has doubtless prejudiced against him a number of serious lovers of literature. It has become difficult to imagine any play that he might sign whose source would not be found by some erudite German in a solar myth, or for which some American or English professor of hermeneutical psychology would not discover a symbolical system of Swedenborgian correspondences.

Les Sept Princesses is a mere dream, a pale wavering picture seen through a glass darkly, and is undoubtedly the slightest thing Maeterlinck has done. Various meanings have been put into it, the more easily apparently since the author himself seems to have put none.

Alladine et Palomides is a piece with highly romantic and even mystical scenes and settings, which, like its figures, might have been taken directly from the Arthurian romances, only they have "suffered a sea-change" in their transportation, through being drenched in the strange, unearthly atmosphere so characteristic of Maeterlinck's early plays. Like these others its ending is entirely fatalistic.

If *Les Sept Princesses* can be called a pale dream, *La Mort de Tintagiles* should be thought of as a horrible nightmare. The sole tragic effect is concentrated in a final scene, where a helpless child cries in terror behind an iron door and pleads for aid while being gripped and choked to death by a monster — whether human or not we never see — and while his sister tears her nails on the steel walls, and begs and curses alternately this murderous Fate. Even if this piece is intended to symbolize the merciless crushing of Humanity by inexorable Death, it seems difficult to justify such unmotivated, tragic horror and still more difficult to understand Maeterlinck's alleged preference for this drama. It is true that the rebellion here of the sister against fate is strikingly symptomatic of an important evolution that was soon to take place in his philosophy. His victims are no longer entirely passive and resigned, but are beginning to struggle, still in vain, in the grip of the fatalistic powers in which he places them. Later this beginning develops into a very different dramatic conception.

Pelléas et Mélisande is the most beautiful play of Maeterlinck, the one nearest a real masterpiece and which does most toward justifying his conception of a symbolic, spiritual drama. It is the old story of Paolo and Francesca, similarly infused with poetry and treated without any moralistic pre-occupation that might hinder its pure artistry. This last point is important and we shall see that Maeterlinck was entirely sincere in this doctrine of the moral unconsciousness of the soul: it was a part of his philosophy.

In his essay on *La Morale Mystique* he asks what would happen if our soul should suddenly become visible, disclosing all of our thoughts and wearing the most secret acts of our life.

"For what would it blush? What would it wish to conceal? Would it go, like a modest woman, throwing the long mantle of its hair over the numberless sins of the flesh? It has not known them, and these sins have never touched it. They have been committed a thousand leagues from its throne; and the soul even of the Sodomite would pass through the midst of the crowd, without suspecting anything, and carrying in its eyes the transparent smile of the child."

We are concerned for the moment only with the importance of this philosophy in our play, and re-calling that Maeterlinck's particular dramatic conception was to express by symbolic methods a spiritual drama, a pure drama of the soul, we can see that it is fundamental. Furthermore, it is perhaps the only basis, in a love story such as this, from which the author could raise with genuine conviction a work of chaste and sincere spiritual beauty. In his eyes at least he was working with pure marble, there was none of the clay of material life.

In this case also the spiritual value and beauty of the play is enhanced, or better, it is made more mysteriously poetic by the Maeterlinckian atmosphere and setting: the old castle, the gloomy gardens and forests, and the mysterious fountains and grottoes.

The author's early conception of fatality is still maintained, only here the chief compelling force is Love, and not Death, as it is in most of the other early plays. In fact, Death would have been here almost a haven to be sought rather than a terror to be faced, if the dramatist had ended his play with the fourth act, an abbreviation that would have left a more harmonious work of art.

However, there are in *Pelléas et Mélisande* decided superiorities over his other early plays. Its figures — one hesitates to call any of them characters in the flesh and blood sense — are more life-like, and its story comes nearest to forming a dramatic plot. Moreover, it has a number of truly theatrical scenes and dialogues, not only in the drama evoked but in that which is actually expressed, and it is, no doubt, in the beauty and power of these scenes,

harmonious in their ensemble but without dramatic
progression, that one finds the secret of the play's
wide appeal. The hauntingly mysterious meeting
at the beginning between Golaud and Mélisande
in the forest; the beauty and symbolism where
Mélisande plays with her ring and loses it in the
fountain; the supremely lyrical appeal where she
leans from the castle window and her hair falls
around Pelléas standing below; the daringly theatrical effect where Golaud holds Yniold up to the window to report on the actions of Pelléas and Mélisande; and finally the last scene of the fourth act,
reminiscent of Tristan and Isolt, where the lovers
meet in the garden, watch their shadows enlaced
in the moonlight, see Golaud spying on them, and
exchange their first, and last, kiss of passion before
they are killed; these alone are sufficient to explain
the popular appeal of this romantic and poetical
drama.

Maeterlinck's other early plays illustrate his dramatic philosophy, and show his power to suggest an
interior drama, but *Pelléas et Mélisande* is the one
in which this inner spiritual drama is most perfectly
transmuted into the pure gold of idealism and poetry. Later plays show an evolution of his philosophy that results in decided dramatic improvements
over his early work, but it is doubtful if any one of
these is better representative of the native genius
of the author, and certainly none is so much a work
of pure beauty.

Aglavaine et Sélysette, in 1896, marks the beginning of an important evolution in Maeterlinck's

philosophy and a turning point in his dramatic system. It is the date when he went to France to live, and we should see here some French influence and particularly that of Georgette Leblanc. He has fully recorded these developments in his essays. Speaking of his early philosophy and dramatic conception whereby human beings are merely the resigned puppets of Fate, he says: "Such a conception of life is not healthy, whatever show of reason it may seem to possess." "Hamlet thinks a great deal but he is hardly wise." "Hamlet is unhappy because he walks in gloomy darkness and it is his ignorance that completes his misfortune. There is nothing in the world that is obedient longer than Fate to those who dare to give it orders." "Intelligence and will, like victorious soldiers, should accustom themselves to live at the expense of all that wars against them."

His departure from his former views is not a break; it is an evolution. He still believes that we can have little influence over exterior events, the decisions of fate, but that we can do everything in transforming these events — our sorrows and our misfortunes — into elements of strength and beauty in our character; and it is these elements that determine our happiness. We see then that he is far from the helpless resignation and despair of his former philosophy, and well on the road toward a doctrine of moral strength and happiness. In drama this is translated into terms of greater force of character and will-power; man is not master of Fate but he is master of his own moral fate.

Aglavaine et Sélysette is a partially successful attempt to realize this philosophy. It is one of the most modern of his dramatic situations, a triangle play of which two of the corners are feminine. Its characters are clearer, they can live in the sunlight. They have individuality, and strength at least to struggle with destiny. However he is not yet free from his former system, and Death still wins a victim, but, on the whole, one who comes willingly, impelled by Love, and who dies almost happy.

It is an interesting play but far from perfect. Méléandre is a weak character. Sélysette, representing simple, unconscious goodness, is its most appealing figure but she is much like his earlier heroines. Aglavaine, who stands for most of the author's new philosophy, is intended to be concious goodness, and she is — too conscious — and, unless you happen to be in the mood for her, an insufferable bore and blue-stocking. We grow tired of her talk about beautifying their souls and wish she had a little common sense.

Ariane et Barbe-bleu, in 1901, completely realizes the author's new philosophy. It is based on the well-known Bluebeard legend. Ariane, in the rôle of triumphant intelligence and will, comes to Bluebeard's Castle and releases his former wives, who are only intimidated and imprisoned and not decapitated. These wives quite aptly are named Sélysette, Mélisande, Ygraine, Bellangère and Alladine, Maeterlinck's former weak-willed heroines. They have lacked the strength to escape from their prison. Ariane breaks the windows, lets in the light, frees them and departs, leaving Bluebeard (Fate) defeated and humble. But his other wives choose to remain with him. They prefer submission, and perhaps are unable to bear the light. This piece offers a beautiful picture but has very little of a real play.

The same might be said of *Sœur Beatrice* which appeared in the same year. It is the well-known legend of the nun who flees from her convent, leads a worldly life, and, on returning broken to die, finds the Virgin had taken her place and that she had become a saint. As a stage piece its dramatic value is hardly the equal of the Old French miracle play of the fourteenth century from which most of the modern adaptations are derived, and Maeterlinck himself denied that it was intended to have any particular significance — which has not, however, discouraged his various interpreters.

What these three plays above have in common is their trend away from the philosophy of inertia and despair toward light, strength and optimism. The ruling force now is Love; Death has been dethroned or at least robbed of his terror. The evolution of this philosophy is completed and its fruits are seen in a riper form in three later pieces: *Monna Vanna*, in 1902, *Joyselle*, in 1903, and *Marie Magdeleine* in 1913.

Monna Vanna is historic drama of an orthodox sort, without allegory or mystery and practically without symbolic suggestion. Its style even approaches the argumentative, rhetorical character of the traditional French drama. It has had considerable stage success, and contains strong theatrical scenes with fully drawn, independent characters, particularly that of Monna Vanna. The theme is the ennobling power and victory of love, represented as sincere and self-sufficient, without weakness or renunciation. Maeterlinck's philosophy of love, and life, is distinctly against renunciation and sacrifice, in which he differs fundamentally from Rostand.

The rank of this piece in the work of Maeterlinck is still, perhaps, debatable. It is clearly not an insignificant play, but in testing his dramatic genius on the traditional ground of French drama, it is doubtful if he has gained enough in the orthodox virtues to compensate for those of his former manner which he has been forced to give up, and which are probably more deeply rooted in his temperament and character. Also the play is at times tiresome.

Joyselle is a return toward mysticism although not to pessimistic philosophy nor to the omnipotence of Fate. It is based both on Shakespeare's *Tempest* and on the Arthurian romances. Like the preceding play its theme is love, all powerful, all-wise and triumphant. In style also it is nearer his later manner.

Marie Magdeleine is the last of this trilogy where love is apotheosized — not the immoral love of the Romanticists, despite the title of this play, but a love that is ennobling and beneficent, in this case mystically divine. This can hardly be considered one of the author's best dramas. He seems to have wandered too far afield, and his treatment will hardly satisfy either the devout or the profane.

Maeterlinck's most popular stage play is *L'Oiseau bleu*, a fairy tale piece that first appeared in 1908. Written to the level of children and almost equally interesting to adults, it has been one of the great popular theatrical successes of the times. And this is the more interesting in the case of an author whose book popularity has usually been much greater than that of the acted play.

The *Blue Bird* is an allegory from beginning to end, but a child can understand some of this allegory, and what he cannot affects little his enjoyment of the play, and affords the adult a good excuse for the childish pleasure he takes in it. Its saving grace is its humor; and it is moreover really a stage play, within the limits of its particular genre.

The piece is too well known to require comment of any kind, but it might be noted that its symbolism, or rather allegory, which is here quite obvious, conforms entirely to the later philosophy of the author. The quest is for the Blue Bird "which symbolizes the great secret of things and of happiness." For Maeterlinck had come to consider wisdom or knowledge, both objective, such as the natural sciences, and introspective, to know oneself, as necessary to self mastery and to happiness. In fact in this later period of his career, wisdom, love and happiness have come to mean much the same thing in Maeterlinck's philosophy, and it is a philosophy of optimism. This delightful and genial play is one of its clearest reflections.

A sequel to the *Blue Bird* is *Les Fiançailles* which appeared in 1918. It is in the same vein and manner but less entertaining. Tyltyl, the hero of the *Blue Bird*, is to choose a wife, and much of the play is on the strength and importance of heredity, on the rôle of the ancestors in making this choice. However, in the end, it is not the ancestors who decide but the children-to-be: the last word would seem still to be that of the mystic. Its treatment of Fate is particularly interesting as showing the complete transformation of the author's early conception. In the beginning of this quest Destiny is a stern giant who grips Tyltyl and drags him along, but he shrinks with each new revelation until in the end he is a babe who has to be carried.

Two plays of Maeterlinck lie quite outside of the accepted categories, *Le Miracle de Saint Antoine* and *Le Bourgmestre de Stilemonde*. The first of these, written before the war and published in German and English translations, is the author's only outright comedy. It is difficult to see any of Maeterlinck's usual manner in this play and it would be much easier to ascribe it to Shaw. It is highly ironical from the first word to the last.

Le Bourgmestre de Stilemonde, in 1918, is a war play and for that reason, doubtless, is also not in Maeterlinck's usual style. So far as internal evidence goes it might have been written by one of a number of recent French dramatists.

Maeterlinck's style has been variously appreciated. In his early plays, such as *L'Intruse*, its primer-like simplicity and astonishing repetitions have been mentioned. It is undoubtedly effective here in evoking an interior dialogue, but it would be tiresome in longer plays, and in fact its repetitions often approach the ridiculous. In his more poetic dramas there is sometimes a sort of cadenced prose that approaches verse. In his later works, however, such as *Monna Vanna*, there is a marked progression, especially in the long philosophical speeches. Still it rarely attains the smooth-flowing rhetoric of many French writers. Its strongest quality is its symbolic power.

Maeterlinck's drama is above all subjective and not the product of observation. However, it is not primarily an expression of the personal feelings and emotions, as in the case of Musset and other Romanticists, but is a consistent reflection of his thoughts, ideas and philosophy, perhaps at times of his somewhat mystic visions. We could hardly think of an incident in life, a fact, or a story, as the exciting cause for any of his plays: the facts, plots and figures of his dramas are the indispensable but subordinate media for the expression of his ideas and philosophy.

To understand his plays, then, we must understand his philosophy and follow the development of his thought. This evolution has been indicated in the treatment of his dramatic career. Its starting point is in his early conception of an inexorable and hostile Fate in whose hands human beings are helpless puppets. Since there could be no valid action by these helpless figures the sole interest is in their interior life, their thoughts and emotions, their visions and fears. These, following his mystical inclinations, he seeks only to suggest or evoke, in a symbolic manner, and not to formulate completely in precise dialogue. This is his early system of Static Drama.

The evolution of this philosophy, which was gradual but in the end sufficiently great to approach repudiation, is marked both by a weakening of the tyranny of Fate and by a strengthening of its former helpless victims. Especially, Fate is no longer considered as necessarily hostile, it does not always destroy, and it may even allow sufficient autonomy for complete self development and happiness. The wisdom of human beings then is not to remain helpless in the hands of Fate, nor even to fight against its decrees and its punishments, but to seek to co-operate with these, and especially to transform them into strength of character and self mastery. This alone can bring happiness.

These different stages of Maeterlinck's thought and the logic of its evolution are clearly recorded in his plays, and a history of the basic ideas of these dramas is only the reasoned philosophy of the author from the time of its first expression down to the present day. This philosophy, from its earliest phase to its final form, teaches that true wisdom is not to be afraid of Fate (*Maleine, L'Intruse, Les Aveugles*) not to fight against or curse it (*Mort de Tintagiles*) nor to be broken by it (*Pelléas, Aglavaine*) but, since one cannot master Fate, to be master of one's own life (*Ariane, Monna Vanna, Joyselle*) and to seek to know the secrets of Fate — which is to know nature and oneself — and to co-operate with it (*Oiseau bleu, Fiançailles*).

It is difficult to evaluate finally Maeterlinck's theatre today, when its merit is still being denied
through incomprehension or obscured through over-
praise and super-interpretation, and the attempt may
even seem rash, since the author is in the maturity
of his powers and still writing. But there is ample
room for true criticism between the two extremes
mentioned and neither the character of the author's
recent plays nor his trend toward the essay gives
great promise of further original drama.

The merits and faults of his early system of Static
Drama have already been fairly well seen. It gave
needed emphasis to interior, spiritual drama, and
its method of symbolistic evocation has many pos-
sibilities. It may even have given a new dramatic
shudder, but, if so, it is a very brief and limited one.
It lacks action, which is the real substance of drama.
Moreover, its philosophy is not only undramatic
but it is demoralizing. The victims of this dramatic
conception are like the occupants of a small boat,
lost in the fog and suddenly surprised by the liner's
siren without knowing the direction from which it
is approaching. No doubt they shudder but they
can only sit with folded arms and wait. It is an
unhealthy conception of life and Maeterlinck himself has recognized this.

As to the value of his allegory, symbolism and
mysticism, which are the really constant features
of his work, opinions will differ greatly, according
to whether one looks on his dramas as stage plays
or as pieces of idealistic literature. From the point
of view of the theatre there is much to criticise,

and this criticism has been frequently voiced, especially in France, where the dramatic sense and stage technic are so highly developed. Most of these pieces lose in representation and some are hardly suitable for it. The vague, mysterious atmosphere in which a number of them were conceived, and with which their spirit accords, can hardly be maintained on the stage. Too often he takes us:

> "hard by the dim lake of Auber,
> In the misty mid region of Weir" —

and wanders with Psyche, his soul. And the dim, mysterious atmosphere of poetry is dissipated by the glare of the footlights, and the ethereal pallor of Psyche is destroyed by the stage make-up.

However, Maeterlinck's dramas are more widely known through reading than through their performance and they are entitled to be judged as works of literature, whatever may be their value or influence on the stage. Besides it is not entirely true that they always show life "through a glass darkly," even those most romantic. Should we not see, rather, in *Pelléas et Mélisande*, a beautiful series of pictures, like those from *Tristan and Isolt*, done in the marvellous stained glass windows of some ancient cathedral, whose art and color we lack today the mystic medieval faith to restore! The most enduring element of Maeterlinck's dramatic work should be this beautiful poetry, which is probably created by his character as a mystic and which is certainly heightened by its symbolistic quality. The purely dramatic merit of Maeterlinck may be doubted without questioning his position as an original, creative artist.

PELLÉAS ET MÉLISANDE

PIÈCE EN CINQ ACTES

PERSONNAGES

ARKËL, roi d'Allemonde.

GENEVIÈVE, mère de Pelléas et de Golaud.

PELLÉAS } petits-fils d'Arkël.
GOLAUD

MÉLISANDE.

Le petit YNIOLD, fils de Golaud (d'un premier lit).

Un médecin.

Le portier.

Servantes, pauvres, etc.

ACTE PREMIER

SCÈNE PREMIÈRE

LA PORTE DU CHATEAU

LES SERVANTES, *à l'intérieur*

Ouvrez la porte! Ouvrez la porte!

LE PORTIER

Qui est là? Pourquoi venez-vous m'éveiller?
Sortez par les petites portes; sortez par les pe- 5
tites portes; il y en a assez!...

UNE SERVANTE, *à l'intérieur*

Nous venons laver le seuil, la porte et le perron;
ouvrez donc! ouvrez donc!

UNE AUTRE SERVANTE, *à l'intérieur* 10

Il y aura de grands événements!

TROISIÈME SERVANTE, *à l'intérieur*

Il y aura de grandes fêtes! Ouvrez vite!...

LES SERVANTES

Ouvrez donc! ouvrez donc! 15

LE PORTIER

Attendez! attendez! Je ne sais pas si je pourrai l'ouvrir... Elle ne s'ouvre jamais... Attendez qu'il fasse clair...

3

PREMIÈRE SERVANTE

Il fait assez clair au dehors; je vois le soleil par les fentes . . .

LE PORTIER

5   Voici les grandes clefs . . . Oh! comme ils grincent, les verrous et les serrures . . . Aidez-moi! aidez-moi! . . .

LES SERVANTES

Nous tirons, nous tirons . . .

DEUXIÈME SERVANTE

10   Elle ne s'ouvrira pas . . .

PREMIÈRE SERVANTE

Ah! ah! Elle s'ouvre! elle s'ouvre lentement!

LE PORTIER

15   Comme elle crie! Elle éveillera tout le monde . . .

DEUXIÈME SERVANTE, *paraissant sur le seuil*

Oh! qu'il fait déjà clair au dehors!

PREMIÈRE SERVANTE

20   Le soleil se lève sur la mer!

LE PORTIER

Elle est ouverte . . . Elle est grande ouverte! . . .
Toutes les servantes paraissent sur le seuil et le franchissent.

PREMIÈRE SERVANTE

25   Je vais d'abord laver le seuil . . .

DEUXIÈME SERVANTE

Nous ne pourrons jamais nettoyer tout ceci.

D'AUTRES SERVANTES

Apportez l'eau ! apportez l'eau !

LE PORTIER

Oui, oui; versez l'eau, versez toute l'eau du
déluge; vous n'en viendrez jamais à bout...

SCÈNE II

UNE FORÊT

On découvre Mélisande au bord d'une fontaine. —
Entre Golaud.

GOLAUD

Je ne pourrai plus sortir de cette forêt. —
Dieu sait jusqu'où cette bête m'a mené. Je
croyais cependant l'avoir blessée à mort; et
voici des traces de sang. Mais maintenant, je
l'ai perdue de vue; je crois que je me suis perdu
moi-même; et mes chiens ne me retrouvent
plus... Je vais revenir sur mes pas... — J'entends pleurer... Oh ! oh ! qu'y a-t-il là au bord
de l'eau ?... Une petite fille qui pleure à la
fontaine ? (*Il tousse.*) — Elle ne m'entend pas.
Je ne vois pas son visage. (*Il s'approche et touche*
Mélisande à l'épaule.) Pourquoi pleures-tu ?
(*Mélisande tressaille, se dresse et veut fuir.*) —
N'ayez pas peur. Vous n'avez rien à craindre.
Pourquoi pleurez-vous, ici, toute seule ?

MÉLISANDE

Ne me touchez pas! ne me touchez pas!

GOLAUD

N'ayez pas peur... Je ne vous ferai pas...
5 Oh! vous êtes belle!

MÉLISANDE

Ne me touchez pas! ou je me jette à l'eau!..

GOLAUD

Je ne vous touche pas... Voyez, je resterai
10 ici, contre l'arbre. N'ayez pas peur. Quelqu'un
vous a-t-il fait du mal?

MÉLISANDE

Oh! oui! oui! oui!

Elle sanglote profondément.

15 ### GOLAUD

Qui vous a fait du mal?

MÉLISANDE

Tous! tous!

GOLAUD

20 Quel mal vous a-t-on fait?

MÉLISANDE

Je ne veux pas le dire! je ne peux pas le dire!...

GOLAUD

Voyons; ne pleurez pas ainsi. D'où venez-
25 vous?

MÉLISANDE

Je me suis enfuie ! . . . enfuie . . .

GOLAUD

Oui ; mais d'où vous êtes-vous enfuie ?

MÉLISANDE   5

Je suis perdue ! . . . perdue ici . . . Je ne suis pas
d'ici . . . Je ne suis pas née là. . .

GOLAUD

D'où êtes-vous ? Où êtes-vous née ?

MÉLISANDE   10

Oh ! oh ! loin d'ici . . . loin . . . loin . . .

GOLAUD

Qu'est-ce qui brille ainsi au fond de l'eau ?

MÉLISANDE

Où donc ? — Ah ! c'est la couronne qu'il m'a 15
donnée. Elle est tombée tandis que je pleurais.

GOLAUD

Une couronne ? — Qui vous a donné une couronne ? — Je vais essayer de la prendre . . .

MÉLISANDE   20

Non, non ; je n'en veux plus ! Je préfère
mourir tout de suite . . .

GOLAUD

Je pourrais la retirer facilement. L'eau n'est
pas très profonde.   25

MÉLISANDE

Je n'en veux plus! Si vous la retirez, je me
jette à sa place!...

GOLAUD

5 Non, non; je la laisserai là. Elle semble très
belle. — Y a-t-il longtemps que vous avez fui?

MÉLISANDE

Oui ... Qui êtes-vous?

GOLAUD

10 Je suis le prince Golaud — le petit-fils d'Arkël, le vieux roi d'Allemonde ...

MÉLISANDE

Oh! vous avez déjà les cheveux gris ...

GOLAUD

'5 Oui; quelques-uns, ici, près des tempes ...

MÉLISANDE

Et la barbe aussi ... Pourquoi me regardez-
vous ainsi?

GOLAUD

20 Je regarde vos yeux. — Vous ne fermez jamais
les yeux?

MÉLISANDE

Si, si; je les ferme la nuit ...

GOLAUD

25 Pourquoi avez-vous l'air si étonné?

MÉLISANDE

Vous êtes un géant?

GOLAUD

Je suis un homme comme les autres . . .

MÉLISANDE

Pourquoi êtes-vous venu ici ?

GOLAUD   5

Je n'en sais rien moi-même.   Je chassais dans
la forêt.   Je poursuivais un sanglier.   Je me suis
trompé de chemin. — Vous avez l'air très jeune.
Quel âge avez-vous ?

MÉLISANDE   10

Je commence à avoir froid.

GOLAUD

Voulez-vous venir avec moi ?

MÉLISANDE

Non, non; je reste ici . . .   15

GOLAUD

Vous ne pouvez pas rester seule.   Vous ne
pouvez pas rester ici toute la nuit . . . Comment
vous nommez-vous ?

MÉLISANDE   20

Mélisande.

GOLAUD

Vous ne pouvez pas rester ici, Mélisande.
Venez avec moi. . .

MÉLISANDE   25

Je reste ici . . .

GOLAUD

Vous aurez peur, toute seule. Toute la nuit . . ., ce n'est pas possible. Mélisande, venez, donnez-moi la main . . .

5

MÉLISANDE

Oh ! ne me touchez pas ! . . .

GOLAUD

Ne criez pas . . . Je ne vous toucherai plus. Mais venez avec moi. La nuit sera très noire 10 et très froide. Venez avec moi . . .

MÉLISANDE

Où allez-vous ? . . .

GOLAUD

Je ne sais pas . . . Je suis perdu aussi . . .

15   *Ils sortent.*

SCÈNE III

UNE SALLE DANS LE CHATEAU

On découvre Arkël et Geneviève.

GENEVIÈVE

Voici ce qu'il écrit à son frère Pelléas: « Un 20 soir, je l'ai trouvée tout en pleurs au bord d'une fontaine, dans la forêt où je m'étais perdu. Je ne sais ni son âge, ni qui elle est, ni d'où elle vient et je n'ose pas l'interroger, car elle doit avoir eu une grande épouvante, et quand on lui demande

ce qui lui est arrivé, elle pleure tout à coup comme
un enfant et sanglote si profondément qu'on a
peur. Au moment où je l'ai trouvée près des
sources, une couronne d'or avait glissé de ses cheveux, et était tombée au fond de l'eau. Elle 5
était d'ailleurs vêtue comme une princesse, bien,
que ses vêtements fussent déchirés par les ronces.
Il y a maintenant six mois que je l'ai épousée et
je n'en sais pas plus qu'au jour de notre rencontre.
En attendant, mon cher Pelléas, toi que j'aime 10
plus qu'un frère, bien que nous ne soyons pas nés
du même père; en attendant, prépare mon retour... Je sais que ma mère me pardonnera
volontiers. Mais j'ai peur du roi, notre vénérable
aïeul, j'ai peur d'Arkël, malgré toute sa bonté, 15
car j'ai déçu, par ce mariage étrange, tous ses
projets politiques, et je crains que la beauté de
Mélisande n'excuse pas à ses yeux, si sages, ma
folie. S'il consent néanmoins à l'accueillir comme
il accueillerait sa propre fille, le troisième soir qui 20
suivra cette lettre, allume une lampe au sommet
de la tour qui regarde la mer. Je l'apercevrai du
pont de notre navire; sinon j'irai plus loin et ne
reviendrai plus...» Qu'en dites-vous?

ARKEL   25

Je n'en dis rien. Il a fait ce qu'il devait probablement faire. Je suis très vieux et cependant
je n'ai pas encore vu clair, un instant, en moi-
même; comment voulez-vous que je juge ce que
d'autres ont fait? Je ne suis pas loin du tombeau 30
et je ne parviens pas à me juger moi-même...

On se trompe toujours lorsqu'on ne ferme pas les
yeux pour pardonner ou pour mieux regarder en
soi-même. Cela nous semble étrange; et voilà
tout. Il a passé l'âge mûr et il épouse, comme un
5 enfant, une petite fille qu'il trouve près d'une
source … Cela nous semble étrange, parce que
nous ne voyons jamais que l'envers des destinées
… l'envers même de la nôtre … Il avait toujours suivi mes conseils jusqu'ici; j'avais cru le
10 rendre heureux en l'envoyant demander la main
de la princesse Ursule … Il ne pouvait pas rester seul, et depuis la mort de sa femme il était
triste d'être seul; et ce mariage allait mettre fin
à de longues guerres et à de vieilles haines …
15 Il ne l'a pas voulu. Qu'il en soit comme il a
voulu: je ne me suis jamais mis en travers d'une
destinée; et il sait mieux que moi son avenir. Il
n'arrive peut-être pas d'événements inutiles …

GENEVIÈVE

20   Il a toujours été si prudent, si grave et si ferme
… Si c'était Pelléas, je comprendrais … Mais
lui … à son âge … Qui va-t-il introduire ici?
— Une inconnue, trouvée le long des routes …
Depuis la mort de sa femme il ne vivait plus que
25 pour son fils, le petit Yniold, et s'il allait se remarier, c'était parce que vous l'aviez voulu …
Et maintenant, il a tout oublié … — Qu'allons-
nous faire? …

Entre Pelléas.

30   ### ARKEL

Qui entre là?

GENEVIÈVE

C'est Pelléas. Il a pleuré.

ARKEL

Est-ce toi, Pelléas ? — Viens un peu plus près
que je te voie dans la lumière . . .   5

PELLÉAS

Grand-père, j'ai reçu, en même temps que
la lettre de mon frère, une autre lettre; une
lettre de mon ami Marcellus . . . Il va mourir
et il m'appelle. Il voudrait me voir avant de 10
mourir . . .

ARKEL

Tu voudrais partir avant le retour de ton
frère ? — Ton ami est peut-être moins malade
qu'il ne le croit . . .   15

PELLÉAS

Sa lettre est si triste qu'on voit la mort entre
les lignes . . . Il dit qu'il sait exactement le jour
où la fin doit venir . . . Il me dit que je puis arriver avant elle si je veux, mais qu'il n'y a plus 20
de temps à perdre. Le voyage est très long et
si j'attends le retour de Golaud, il sera peut-être
trop tard . . .

ARKEL

Il faudrait attendre quelque temps cependant 25
. . . Nous ne savons pas ce que ce retour nous
prépare. Et d'ailleurs ton père n'est-il pas ici,
au-dessus de nous, plus malade peut-être que

ton ami ... Pourras-tu choisir entre le père et
l'ami ... ?

Il sort.

GENEVIÈVE

5   Aie soin d'allumer la lampe dès ce soir, Pelléas ...

Ils sortent séparément.

SCÈNE IV

DEVANT LE CHATEAU

Entrent Geneviève et Mélisande.

10   #### MÉLISANDE

Il fait sombre dans les jardins. Et quelles
forêts, quelles forêts tout autour des palais! ...

GENEVIÈVE

Oui; cela m'étonnait aussi quand je suis ar-
15 rivée, et cela étonne tout le monde. Il y a des
endroits où l'on ne voit jamais le soleil. Mais
l'on s'y fait si vite ... Il y a longtemps ... Il
y a près de quarante ans que je vis ici ... Regardez de l'autre côté, vous aurez la clarté de
20 la mer ...

MÉLISANDE

J'entends du bruit au-dessous de nous ...

GENEVIÈVE

Oui; c'est quelqu'un qui monte vers nous ...

Ah! c'est Pelléas... Il semble encore fatigué de vous avoir attendue si longtemps...

MÉLISANDE

Il ne nous a pas vues.

GENEVIÈVE 5

Je crois qu'il nous a vues, mais il ne sait ce qu'il doit faire... Pelléas, Pelléas, est-ce toi?

PELLÉAS

Oui!... Je venais du côté de la mer...

GENEVIÈVE 10

Nous aussi; nous cherchions la clarté. Ici, il fait un peu plus clair qu'ailleurs; et cependant la mer est sombre...

PELLÉAS

Nous aurons une tempête cette nuit. Nous en 15 avons souvent... et cependant la mer est si calme ce soir... On s'embarquerait sans savoir et l'on ne reviendrait plus...

MÉLISANDE

Quelque chose sort du port... 20

PELLÉAS

Il faut que ce soit un grand navire... Les lumières sont très hautes, nous le verrons tout à l'heure quand il entrera dans la bande de clarté.

GENEVIÈVE 25

Je ne sais si nous pourrons le voir... il y a une brume sur la mer.

PELLÉAS

On dirait que la brume s'élève lentement…

MÉLISANDE

Oui; j'aperçois, là-bas, une petite lumière que
5 je n'avais pas vue…

PELLÉAS

C'est un phare; il y en a d'autres que nous ne
voyons pas encore.

MÉLISANDE

10 Le navire est dans la lumière… Il est déjà
bien loin.

PELLÉAS

C'est un navire étranger. Il me semble plus
grand que les nôtres…

15 ### MÉLISANDE

C'est le navire qui m'a menée ici !…

PELLÉAS

Il s'éloigne à toutes voiles…

MÉLISANDE

20 C'est le navire qui m'a menée ici. Il a de
grandes voiles… Je le reconnais à ses voiles…

PELLÉAS

Il aura mauvaise mer cette nuit…

MÉLISANDE

25 Pourquoi s'en va-t-il ?… On ne le voit presque plus… Il fera peut-être naufrage…

PELLÉAS

La nuit tombe très vite . . .

Un silence.

GENEVIÈVE

Personne ne parle plus ? . . . Vous n'avez plus 5
rien à vous dire ? . . . Il est temps de rentrer.
Pelléas, montre la route à Mélisande. Il faut que
j'aille voir, un instant, le petit Yniold.

Elle sort.

PELLÉAS   10

On ne voit plus rien sur la mer . . .

MÉLISANDE

Je vois d'autres lumières . . .

PELLÉAS

Ce sont les autres phares . . . Entendez-vous 15
la mer ? . . . C'est le vent qui s'élève . . . Descen-
dons par ici. Voulez-vous me donner la main ?

MÉLISANDE

Voyez, voyez, j'ai les mains pleines de fleurs
et de feuillages.   20

PELLÉAS

Je vous soutiendrai par le bras, le chemin est
escarpé et il y fait très sombre . . . Je pars peut-
être demain . . .

MÉLISANDE   25

Oh ! . . . pourquoi partez-vous ?

Ils sortent.

ACTE DEUXIÈME

SCÈNE PREMIÈRE

UNE FONTAINE DANS LE PARC

Entrent Pelléas et Mélisande.

PELLÉAS

Vous ne savez pas où je vous ai menée ? —
Je viens souvent m'asseoir ici, vers midi, lorsqu'il fait trop chaud dans les jardins. On étouffe,
aujourd'hui, même à l'ombre des arbres.

MÉLISANDE

Oh ! l'eau est claire . . .

PELLÉAS

Elle est fraîche comme l'hiver. C'est une
vieille fontaine abandonnée. Il paraît que c'était
une fontaine miraculeuse, — elle ouvrait les yeux
des aveugles. — On l'appelle encore la « Fontaine
des aveugles ».

MÉLISANDE

Elle n'ouvre plus les yeux ?

PELLÉAS

Depuis que le roi est presque aveugle lui-même,
on n'y vient plus . . .

MÉLISANDE

Comme on est seule ici . . . On n'entend rien.

PELLÉAS

Il y a toujours un silence extraordinaire...
On entendrait dormir l'eau ... Voulez-vous vous
asseoir au bord du bassin de marbre ? Il y a un
tilleul que le soleil ne pénètre jamais ...   5

MÉLISANDE

Je vais me coucher sur le marbre. — Je voudrais voir le fond de l'eau ...

PELLÉAS

On ne l'a jamais vu. — Elle est peut-être aussi 10
profonde que la mer. — On ne sait d'où elle vient.
— Elle vient peut-être du centre de la terre ...

MÉLISANDE

Si quelque chose brillait au fond, on le verrait
peut-être...   15

PELLÉAS

Ne vous penchez pas ainsi ...

MÉLISANDE

Je voudrais toucher l'eau ...

PELLÉAS   20

Prenez garde de glisser ... Je vais vous tenir
la main ...

MÉLISANDE

Non, non, je voudrais y plonger mes deux
mains ... on dirait que mes mains sont malades 25
aujourd'hui ...

PELLÉAS

Oh ! oh ! prenez garde ! prenez garde ! Méli-

sande !... Mélisande !... — Oh ! votre chevelure !...

MÉLISANDE, *se redressant*

Je ne peux pas, je ne peux pas l'atteindre.

PELLÉAS

Vos cheveux ont plongé dans l'eau...

MÉLISANDE

Oui, oui ; ils sont plus longs que mes bras...
Ils sont plus longs que moi...

Un silence.

PELLÉAS

C'est au bord d'une fontaine aussi, qu'il vous
a trouvée ?

MÉLISANDE

Oui...

PELLÉAS

Que vous a-t-il dit ?

MÉLISANDE

Rien ; je ne me rappelle plus...

PELLÉAS

Était-il tout près de vous ?

MÉLISANDE

Oui ; il voulait m'embrasser...

PELLÉAS

Et vous ne vouliez pas ?

MÉLISANDE

Non.

PELLÉAS

Pourquoi ne vouliez-vous pas ?

MÉLISANDE

Oh ! oh ! j'ai vu passer quelque chose au fond
de l'eau . . .   5

PELLÉAS

Prenez garde ! prenez garde ! — Vous allez
tomber ! — Avec quoi jouez-vous ?

MÉLISANDE

Avec l'anneau qu'il m'a donné . . .   10

PELLÉAS

Prenez garde ; vous allez le perdre . . .

MÉLISANDE

Non, non, je suis sûre de mes mains . . .

PELLÉAS   15

Ne jouez pas ainsi, au-dessus d'une eau si
profonde . . .

MÉLISANDE

Mes mains ne tremblent pas.

PELLÉAS   20

Comme il brille au soleil ! — Ne le jetez pas
si haut vers le ciel . . .

MÉLISANDE

Oh ! . . .

PELLÉAS   25

Il est tombé ?

MÉLISANDE

Il est tombé dans l'eau !...

PELLÉAS

Où est-il ?

5   MÉLISANDE

Je ne le vois pas descendre ...

PELLÉAS

Je crois que je le vois briller ...

MÉLISANDE

10   Où donc ?

PELLÉAS

Là-bas, ... là-bas ...

MÉLISANDE

Oh ! qu'il est loin de nous !... non, non, ce
15 n'est pas lui ... ce n'est pas lui ... Il est perdu ... Il n'y a plus qu'un grand cercle sur
l'eau ... Qu'allons-nous faire ?   Qu'allons-nous
faire maintenant ? ...

PELLÉAS

20   Il ne faut pas s'inquiéter ainsi pour une bague.   Ce n'est rien ... nous la retrouverons peut-
être.   Ou bien nous en trouverons une autre ...

MÉLISANDE

Non, non; nous ne la retrouverons plus, nous
25 n'en trouverons pas d'autre non plus ... Je
croyais l'avoir dans les mains cependant ...
J'avais déjà fermé les mains, et elle est tombée

malgré tout ... Je l'ai jetée trop haut, du côté
du soleil ...

PELLÉAS

Venez, venez, nous reviendrons un autre
jour ... venez, il est temps. On pourrait nous 5
surprendre ... Midi sonnait au moment où l'anneau est tombé ...

MÉLISANDE

Qu'allons-nous dire à Golaud s'il demande
où il est ? 10

PELLÉAS

La vérité, la vérité, la vérité. ...

Ils sortent.

SCÈNE II

UN APPARTEMENT DANS LE CHATEAU

On découvre Golaud étendu sur un lit; Mélisande 15
est à son chevet.

GOLAUD

Ah ! ah ! tout va bien, cela ne sera rien. Mais
je ne puis m'expliquer comment cela s'est passé.
Je chassais tranquillement dans la forêt. Mon 20
cheval s'est emporté tout à coup, sans raison.
A-t-il vu quelque chose d'extraordinaire ? ... Je
venais d'entendre sonner les douze coups de
midi. Au douzième coup, il s'effraie subitement,
et court, comme un aveugle fou, contre un arbre. 25
Je n'ai plus rien entendu. Je ne sais plus ce qui

est arrivé. Je suis tombé, et lui doit être tombé
sur moi. Je croyais avoir toute la forêt sur la
poitrine; je croyais que mon cœur était écrasé.
Mais mon cœur est solide. Il paraît que ce n'est
5 rien...

MÉLISANDE

Voulez-vous boire un peu d'eau ?

GOLAUD

Merci, merci; je n'ai pas soif.

10 ### MÉLISANDE

Voulez-vous un autre oreiller ?... Il y a une
petite tache de sang sur celui-ci.

GOLAUD

Non, non; ce n'est pas la peine. J'ai saigné
15 de la bouche. Je saignerai peut-être encore...

MÉLISANDE

Est-ce bien sûr ?... Vous ne souffrez pas trop ?

GOLAUD

Non, non, j'en ai vu bien d'autres. Je suis
20 fait au fer et au sang... Ce ne sont pas de petits
os d'enfant que j'ai autour du cœur, ne t'in-
quiète pas...

MÉLISANDE

Fermez les yeux et tâchez de dormir. Je
25 resterai ici toute la nuit...

GOLAUD

Non, non; je ne veux pas que tu te fatigues
ainsi. Je n'ai besoin de rien; je dormirai comme

un enfant... Qu'y a-t-il, Mélisande? Pourquoi pleures-tu tout à coup?...

MÉLISANDE, *fondant en larmes*

Je suis ... je suis souffrante aussi ...

GOLAUD 5

Tu es souffrante?... Qu'as-tu donc, Mélisande?...

MÉLISANDE

Je ne sais pas. Je suis malade aussi... Je
préfère vous le dire aujourd'hui; seigneur, je ne 10
suis pas heureuse ici ...

GOLAUD

Qu'est-il donc arrivé, Mélisande? Qu'est-ce
que c'est?... Moi qui ne me doutais de rien...
Qu'est-il donc arrivé?... Quelqu'un t'a fait du 15
mal?... Quelqu'un t'aurait-il offensée?

MÉLISANDE

Non, non; personne ne m'a fait le moindre
mal ... Ce n'est pas cela ... Mais je ne puis plus
vivre ici. Je ne sais pas pourquoi... Je voudrais 20
m'en aller, m'en aller!... Je vais mourir si
l'on me laisse ici ...

GOLAUD

Mais il est arrivé quelque chose? Tu dois
me cacher quelque chose?... Dis-moi toute la 25
vérité, Mélisande... Est-ce le roi?... Est-ce
ma mère?... Est-ce Pelléas?...

MÉLISANDE

Non, non; ce n'est pas Pelléas. Ce n'est personne ... Vous ne pouvez pas me comprendre ...

GOLAUD

5   Pourquoi ne comprendrais-je pas? ... Si tu
ne me dis rien, que veux-tu que je fasse ... Dis-
moi tout, et je comprendrai tout.

MÉLISANDE

Je ne sais pas moi-même ce que c'est ... Si je
10 pouvais vous le dire, je vous le dirais ... C'est
quelque chose qui est plus fort que moi ...

GOLAUD

Voyons; sois raisonnable, Mélisande. — Que
veux-tu que je fasse? Tu n'es plus une enfant.
15 — Est-ce moi que tu voudrais quitter?

MÉLISANDE

Oh! non, non; ce n'est pas cela ... Je voudrais m'en aller avec vous ... C'est ici, que je
ne peux plus vivre ... Je sens que je ne vivrai
20 plus longtemps ...

GOLAUD

Mais il faut une raison cependant. On va te
croire folle. On va croire à des rêves d'enfant.
— Voyons, est-ce Pelléas, peut-être? — Je crois
25 qu'il ne te parle pas souvent ...

MÉLISANDE

Si, si; il me parle parfois. Il ne m'aime pas,

je crois; je l'ai vu dans ses yeux... Mais il me
parle quand il me rencontre...

GOLAUD

Il ne faut pas lui en vouloir. Il a toujours été
ainsi. Il est un peu étrange. Et maintenant, 5
il est triste; il songe à son ami Marcellus, qui
est sur le point de mourir et qu'il ne peut pas aller
voir... Il changera, il changera, tu verras;
il est jeune...

MÉLISANDE   10

Mais ce n'est pas cela... ce n'est pas cela...

GOLAUD

Qu'est-ce donc? — Ne peux-tu pas te faire
à la vie qu'on mène ici? — Il est vrai que ce
château est très vieux et très sombre... Il est 15
très froid et très profond. Et tous ceux qui
l'habitent sont déjà vieux. Et la campagne
semble bien triste aussi, avec toutes ses forêts,
toutes ses vieilles forêts sans lumière. Mais on
peut égayer tout cela si l'on veut. Et puis, la 20
joie, on n'en a pas tous les jours; il faut prendre les choses comme elles sont. Mais dis-moi
quelque chose; n'importe quoi; je ferai tout
ce que tu voudras...

MÉLISANDE   25

Oui, oui; c'est vrai... on ne voit jamais le
ciel clair... Je l'ai vu pour la première fois ce
matin...

GOLAUD

C'est donc cela qui te fait pleurer, ma pauvre
Mélisande ? — Ce n'est donc que cela ? — Tu
pleures de ne pas voir le ciel ? — Voyons, voyons,
5 tu n'es plus à l'âge où l'on peut pleurer pour
ces choses ... Et puis l'été n'est-il pas là ? Tu
verras le ciel tous les jours. — Et puis l'année pro-
chaine ... Voyons, donne-moi ta main ; donne-
moi tes deux petites mains. (*Il lui prend les mains.*)
10 Oh ! ces petites mains que je pourrais écraser
comme des fleurs ... — Tiens, où est l'anneau que
je t'avais donné ?

MÉLISANDE

L'anneau ?

15   ### GOLAUD

Oui ; la bague de nos noces, où est-elle ?

MÉLISANDE

Je crois ... Je crois qu'elle est tombée ...

GOLAUD

20   Tombée ? — Où est-elle tombée ? ... — Tu ne
l'as pas perdue ?

MÉLISANDE

Non, non ; elle est tombée ... elle doit être
tombée ... mais je sais où elle est ...

25   ### GOLAUD

Où est-elle ?

MÉLISANDE

Vous savez ... vous savez bien ... la grotte au
bord de la mer ? ...

GOLAUD

Oui.

MÉLISANDE

Eh bien, c'est là... Il faut que ce soit là... Oui, oui; je me rappelle... J'y suis allée ce 5 matin, ramasser des coquillages pour le petit Yniold... Il y en a de très beaux... Elle a glissé de mon doigt... puis la mer est entrée; et j'ai dû sortir avant de l'avoir retrouvée.

GOLAUD 10

Es-tu sûre que ce soit là ?

MÉLISANDE

Oui, oui; tout à fait sûre... Je l'ai sentie glisser... puis tout à coup, le bruit des vagues...

GOLAUD 15

Il faut aller la chercher tout de suite.

MÉLISANDE

Maintenant ? — tout de suite ? — dans l'obs-curité ?

GOLAUD 20

Oui. J'aimerais mieux avoir perdu tout ce que j'ai plutôt que d'avoir perdu cette bague. Tu ne sais pas ce que c'est. Tu ne sais pas d'où elle vient. La mer sera très haute cette nuit. La mer viendra la prendre avant toi... Dépê- 25 che-toi. Il faut aller la chercher tout de suite...

MÉLISANDE

Je n'ose pas... Je n'ose pas aller seule...

GOLAUD

Vas-y, vas-y avec n'importe qui. Mais il faut
y aller toute de suite, entends-tu ? — Hâte-toi;
demande à Pelléas d'y aller avec toi.

5   MÉLISANDE

Pelléas ? Avec Pelléas ? — Mais Pelléas ne
voudra pas...

                    GOLAUD

Pelléas fera tout ce que tu lui demanderas.
10 Je connais Pelléas mieux que toi. Vas-y, vas-y,
hâte-toi. Je ne dormirai pas avant d'avoir la
bague.

MÉLISANDE

Je ne suis pas heureuse !...

15   *Elle sort en pleurant.*

SCÈNE III

Devant une grotte

Entrent Pelléas et Mélisande.

PELLÉAS, *parlant avec une grande agitation*

Oui; c'est ici, nous y sommes. Il fait si noir
20 que l'entrée de la grotte ne se distingue pas du
reste de la nuit... Il n'y a pas d'étoiles de ce
côté. Attendons que la lune ait déchiré ce
grand nuage; elle éclairera toute la grotte et
alors nous pourrons y entrer sans péril. Il y a

des endroits dangereux et le sentier est très
étroit, entre deux lacs dont on n'a pas encore
trouvé le fond. Je n'ai pas songé à emporter
une torche ou une lanterne, mais je pense que
la clarté du ciel nous suffira. — Vous n'avez 5
jamais pénétré dans cette grotte?

MÉLISANDE

Non...

PELLÉAS

Entrons-y... Il faut pouvoir décrire l'endroit 10
où vous avez perdu la bague, s'il vous interroge... Elle est très grande et très belle. Il y a
des stalactites qui ressemblent à des plantes et
à des hommes. Elle est pleine de ténèbres bleues.
On ne l'a pas encore explorée jusqu'au fond. On 15
y a, paraît-il, caché de grands trésors. Vous y
verrez les épaves d'anciens naufrages. Mais il
ne faut pas s'y engager sans guide. Il en est qui
ne sont jamais revenus. Moi-même je n'ose pas
aller trop avant. Nous nous arrêterons au mo- 20
ment où nous n'apercevrons plus la clarté de la
mer ou du ciel. Quand on y allume une petite
lampe, on dirait que la voûte est couverte d'étoiles,
comme le firmament. Ce sont, dit-on, des frag-
ments de cristal ou de sel qui brillent ainsi dans 25
le rocher. — Voyez, voyez, je crois que le ciel
va s'ouvrir... Donnez-moi la main, ne tremblez
pas, ne tremblez pas ainsi. Il n'y a pas de danger;
nous nous arrêterons du moment que nous n'apercevrons plus la clarté de la mer... Est-ce le 30
bruit de la grotte qui vous effraie? C'est le

bruit de la nuit ou le bruit du silence... Entendez-vous la mer derrière nous? — Elle ne semble
pas heureuse cette nuit... Ah! voici la clarté!

La lune éclaire largement l'entrée et une partie
5 *des ténèbres de la grotte; et l'on aperçoit, à une cer-*
taine profondeur, trois vieux pauvres à cheveux
blancs, assis côte à côte, se soutenant l'un l'autre,
et endormis contre un quartier de roc.

MÉLISANDE

10   Ah!

PELLÉAS

Qu'y a-t-il?

MÉLISANDE

Il y a... Il y a...

15   *Elle montre les trois pauvres.*

PELLÉAS

Oui, oui; je les ai vus aussi...

MÉLISANDE

Allons-nous-en!... Allons-nous-en!...

20   PELLÉAS

Oui... ce sont trois vieux pauvres qui se sont
endormis... Une grande famine désole le pays
... Pourquoi sont-ils venus dormir ici?...

MÉLISANDE

25   Allons-nous-en!... Venez,   venez... Allons-
nous-en!...

PELLÉAS

Prenez garde, ne parlez pas si fort ... Ne les
éveillons pas ... Ils dorment encore profondément ... venez.

MÉLISANDE   5

Laissez-moi, laissez-moi; je préfère marcher
seule ...

PELLÉAS

Nous reviendrons un autre jour ...

Ils sortent.   10

SCÈNE IV

Un appartement dans le château

On découvre Arkël et Pelléas.

ARKEL

Vous voyez que tout vous retient ici et vous
interdit ce voyage inutile. On vous a caché, jus- 15
qu'à ce jour, l'état de votre père; mais il est peut-
être sans espoir; et cela seul devrait suffire à
vous arrêter sur le seuil. Mais il y a tant d'autres
raisons ... Et ce n'est pas à l'heure où nos en-
nemis se réveillent et où le peuple meurt de faim 20
et murmure autour de nous que vous avez le
droit de nous abandonner. Et pourquoi ce
voyage ? Marcellus est mort; et l'homme a des
devoirs plus graves que la visite d'un tombeau.
Vous êtes las, dites-vous, de votre vie inactive; 25

mais si l'activité et le devoir se trouvent sur les
routes, on les reconnaît rarement dans la hâte du
voyage. Il vaut mieux les attendre sur le seuil
et les faire entrer au moment où ils passent; et
5 ils passent tous les jours. Vous ne les avez jamais
vus? Je n'y vois presque plus moi-même, mais
je vous apprendrai à voir; et vous les montrerai
le jour où vous voudrez leur faire signe. Mais
cependant, écoutez-moi: si vous croyez que c'est
10 du fond de votre vie que ce voyage est exigé, je
ne vous interdis pas de l'entreprendre, car vous
devez savoir mieux que moi les événements que
vous devez offrir à votre être ou à votre destinée.
Je vous demanderais seulement d'attendre que
15 nous sachions ce qui doit arriver avant peu . . .

PELLÉAS

Combien de temps faudra-t-il attendre?

ARKEL

Quelques semaines; peut-être quelques jours . . .

20 #### PELLÉAS

J'attendrai . . .

ACTE TROISIÈME

SCÈNE PREMIÈRE

Un appartement dans le chateau

On découvre Pelléas et Mélisande. Mélisande file sa quenouille au fond de la chambre.

PELLÉAS

Yniold ne revient pas; où est-il allé ?   5

MÉLISANDE

Il avait entendu quelque bruit dans le corridor; il est allé voir ce que c'est.

PELLÉAS

Mélisande ...   10

MÉLISANDE

Qu'y a-t-il ?

PELLÉAS

Y voyez-vous encore pour travailler ?

MÉLISANDE   15

Je travaille aussi bien dans l'obscurité ...

PELLÉAS

Je crois que tout le monde dort déjà dans le château. Golaud ne revient pas de la chasse. Cependant il est tard ... Il ne souffre plus de sa 20 chute ?

35

MÉLISANDE

Il a dit qu'il ne souffrait plus.

PELLÉAS

Il devrait être plus prudent; il n'a plus le corps
5 souple comme à vingt ans... Je vois les étoiles
par la fenêtre et la clarté de la lune sur les arbres.
Il est tard; il ne reviendra plus.   (*On frappe à
la porte.*)   Qui est là?... Entrez!... (*Le petit
Yniold ouvre la porte et entre dans la chambre.*)
10 C'est toi qui frappes ainsi?... Ce n'est pas ainsi
qu'on frappe aux portes. C'est comme si un malheur venait d'arriver; regarde, tu as effrayé
petite-mère.

LE PETIT YNIOLD

15   Je n'ai frappé qu'un tout petit coup...

PELLÉAS

Il est tard; petit-père ne reviendra plus ce
soir; il est temps de t'aller coucher.

LE PETIT YNIOLD

20   Je n'irai pas me coucher avant vous.

PELLÉAS

Quoi?   Qu'est-ce que tu dis là?

LE PETIT YNIOLD

Je dis... pas avant vous... pas   avant
25 vous...

*Il éclate en sanglots et va se réfugier près de Méli-
sande.*

MÉLISANDE

Qu'y a-t-il, Yniold? Qu'y a-t-il?... pourquoi
pleures-tu tout à coup?

YNIOLD, *sanglotant*

Parce que... Oh! oh! parce que...   5

MÉLISANDE

Pourquoi?... Pourquoi? dis-le moi...

YNIOLD

Petite-mère... petite-mère... vous allez partir...   10

MÉLISANDE

Mais qu'est-ce qui te prend, Yniold?... Je
n'ai jamais songé à partir...

YNIOLD

Si, si; petit-père est parti... petit-père ne 15
revient pas, et vous allez partir aussi... Je l'ai
vu... je l'ai vu...

MÉLISANDE

Mais il n'a jamais été question de cela, Yniold
... A quoi donc as-tu vu que j'allais partir?   20

YNIOLD

Je l'ai vu... Je l'ai vu... Vous avez dit à
mon oncle des choses que je ne pouvais pas entendre.

PELLÉAS   25

Il a sommeil... il a rêvé... Viens ici, Yniold;

tu dors déjà ? . . . Viens donc voir à la fenêtre;
les cygnes se battent contre les chiens . . .

YNIOLD, *à la fenêtre*

Oh ! oh ! Ils les chassent, les chiens ! . . . Ils les
5 chassent ! . . . Oh ! oh ! l'eau ! . . . les ailes ! . . . les
ailes ! . . . Ils ont peur . . .

PELLÉAS, *revenant près de Mélisande*

Il a sommeil; il lutte contre le sommeil et ses
yeux se ferment . . .

10   MÉLISANDE, *chantant à mi-voix en filant*

Saint Daniel et Saint Michel . . .
Saint Michel et Saint Raphaël . . .

YNIOLD, *à la fenêtre*

Oh ! oh ! petite-mère ! . . .

15   MÉLISANDE, *se levant brusquement*

Qu'y a-t-il, Yniold ? . . . Qu'y a-t-il ? . . .

YNIOLD

J'ai vu quelque chose à la fenêtre . . .

Pelléas et Mélisande courent à la fenêtre.

20   PELLÉAS

Mais il n'y a rien. Je ne vois rien . . .

MÉLISANDE

Moi non plus . . .

PELLÉAS

25 Où as-tu vu quelque chose ? De quel côté ? . . .

YNIOLD

Là-bas, là-bas !... Elle n'y est plus...

PELLÉAS

Il ne sait plus ce qu'il dit. Il aura vu la clarté
de la lune sur la forêt. Il y a souvent d'étranges 5
reflets... ou bien quelque chose aura passé sur
la route... ou dans son sommeil. Car voyez,
voyez, je crois qu'il s'endort tout à fait.

YNIOLD, *à la fenêtre*

Petit-père est là ! petit-père est là !   10

PELLÉAS, *allant à la fenêtre*

Il a raison ; Golaud entre dans la cour...

YNIOLD

Petit-père !... petit-père !... Je vais à sa rencontre !...   15

Il sort en courant. — Un silence.

PELLÉAS

Ils montent l'escalier...

*Entrent Golaud et le petit Yniold qui porte une
lampe.*   20

GOLAUD

Vous attendez encore dans l'obscurité ?

YNIOLD

J'ai apporté une lumière, petite-mère, une
grande lumière !... (*Il élève la lampe et regarde* 25
Mélisande.) Tu as pleuré, petite-mère ? Tu as
pleuré ?... (*Il élève la lampe vers Pelléas et le*

regarde à son tour.)   Vous aussi, vous avez pleuré ?
... Petit-père, regarde, petit-père; ils ont pleuré
tous les deux ...

GOLAUD

5   Ne leur mets pas ainsi la lumière sous les
yeux ...

SCÈNE II

UNE DES TOURS DU CHATEAU. — UN CHEMIN DE
RONDE PASSE SOUS UNE FENÊTRE DE LA TOUR

MÉLISANDE, *à la fenêtre, pendant qu'elle*
10   *peigne ses cheveux dénoués*

Les trois sœurs aveugles,
(Espérons encore).
Les trois sœurs aveugles,
Ont leurs lampes d'or.

15   Montent à la tour,
(Elles, vous et nous).
Montent à la tour,
Attendent sept jours.

Ah! dit la première,
20   (Espérons encore).
Ah! dit la première,
J'entends nos lumières.

Ah! dit la seconde,
(Elles, vous et nous).
Ah! dit la seconde,
C'est le roi qui monte.

Non, dit la plus sainte,   5
(Espérons encore).
Non, dit la plus sainte,
Elles se sont éteintes ...

Entre Pelléas par le chemin de ronde.

PELLÉAS   10

Holà! Holà! ho!

MÉLISANDE

Qui est là?

PELLÉAS

Moi, moi, et moi!... Que fais-tu là à la fe- 15
nêtre en chantant comme un oiseau qui n'est
pas d'ici?

MÉLISANDE

J'arrange mes cheveux pour la nuit.

PELLÉAS   20

C'est là ce que je vois sur le mur?... Je croyais
que c'était un rayon de lumière ...

MÉLISANDE

J'ai ouvert la fenêtre; la nuit me semblait
belle ...   25

PELLÉAS

Il y a d'innombrables étoiles; je n'en ai jamais autant vu que ce soir ... Mais la lune est

encore sur la mer ... Ne reste pas dans l'ombre, Mélisande, penche-toi un peu, que je voie tes cheveux dénoués.

Mélisande se penche à la fenêtre.

5   PELLÉAS

Oh! Mélisande!... oh! tu es belle!... tu es belle ainsi!... penche-toi! penche-toi!... laisse-moi venir plus près de toi ...

                   MÉLISANDE

10   Je ne puis pas venir plus près ... Je me penche tant que je peux ...

                    PELLÉAS

Je ne puis pas monter plus haut ... donne-moi du moins ta main ce soir ... avant que je 15 m'en aille ... Je pars demain ...

                   MÉLISANDE

Non, non, non ...

                    PELLÉAS

Si, si; je pars, je partirai demain ... donne-20 moi ta main, ta petite main sur mes lèvres ...

                   MÉLISANDE

Je ne te donne pas ma main si tu pars ...

                    PELLÉAS

Donne, donne ...

25   MÉLISANDE

Tu ne partiras pas ?... Je vois une rose dans les ténèbres ...

PELLÉAS

Où donc?... Je ne vois que les branches du
saule qui dépassent le mur...

MÉLISANDE

Plus bas, plus bas, dans le jardin; là-bas, dans 5
le vert sombre.

PELLÉAS

Ce n'est pas une rose... J'irai voir tout à
l'heure, mais donne-moi ta main d'abord; d'abord
ta main...   10

MÉLISANDE

Voilà, voilà;... je ne puis me pencher davantage...

PELLÉAS

Mes lèvres ne peuvent pas atteindre ta main... 15

MÉLISANDE

Je ne puis pas me pencher davantage... Je
suis sur le point de tomber... — Oh! oh! mes
cheveux descendent de la tour!...

Sa chevelure se révulse tout à coup, tandis qu'elle 20
se penche ainsi, et inonde Pelléas.

PELLÉAS

Oh! oh! qu'est-ce que c'est?... Tes cheveux,
tes cheveux descendent vers moi!... Toute ta
chevelure, Mélisande, toute ta chevelure est 25
tombée de la tour!... Je la tiens dans les mains,
je la touche des lèvres... Je la tiens dans les

bras, je la mets autour de mon cou . . . Je n'ou-
vrirai plus les mains cette nuit . . .

MÉLISANDE

Laisse-moi! laisse-moi! . . . Tu vas me faire
5 tomber! . . .

PELLÉAS

Non, non, non; . . . je n'ai jamais vu de cheveux comme les tiens, Mélisande! . . . Vois,
vois; ils viennent de si haut et m'inondent
10 jusqu'au cœur . . . Ils sont tièdes et doux comme
s'ils tombaient du ciel! . . . Je ne vois plus le
ciel à travers tes cheveux et leur belle lumière
me cache sa lumière! . . . Regarde, regarde donc,
mes mains ne peuvent plus les contenir . . . Ils
15 me fuient, ils me fuient jusqu'aux branches du
saule . . . Ils s'échappent de toutes parts . . . Ils
tressaillent, ils s'agitent, ils palpitent dans mes
mains comme des oiseaux d'or; et ils m'aiment, ils m'aiment mille fois mieux que toi! . . .

20   MÉLISANDE

Laisse-moi, laisse-moi, quelqu'un pourrait venir . . .

PELLÉAS

Non, non, non; je ne te délivre pas cette
25 nuit . . . Tu es ma prisonnière cette nuit; toute
la nuit, toute la nuit . . .

MÉLISANDE

Pelléas! Pelléas! . . .

PELLÉAS

Tu ne t'en iras plus... Je t'embrasse tout
entière en baisant tes cheveux, et je ne souffre
plus au milieu de leurs flammes... Entends-tu
mes baisers?... Ils s'élèvent le long des mille 5
mailles d'or... Il faut que chacune d'elles t'en
apporte un millier; et en retienne autant pour
t'embrasser encore quand je n'y serai plus...
Tu vois, tu vois, je puis ouvrir les mains...
Tu vois, j'ai les mains libres et tu ne peux m'aban- 10
donner...

*Des colombes sortent de la tour et volent autour
d'eux dans la nuit.*

MÉLISANDE

Qu'y a-t-il, Pelléas? — Qu'est-ce qui vole 15
autour de moi?

PELLÉAS

Ce sont les colombes qui sortent de la tour...
Je les ai effrayées; elles s'envolent...

MÉLISANDE 20

Ce sont mes colombes, Pelléas. — Allons-
nous-en, laisse-moi; elles ne reviendraient plus...

PELLÉAS

Pourquoi ne reviendraient-elles plus?

MÉLISANDE 25

Elles se perdront dans l'obscurité... Laisse-
moi relever la tête... J'entends un bruit de
pas... Laisse-moi! — C'est Golaud!... Je crois
que c'est Golaud!... Il nous a entendus...

PELLÉAS

Attends! Attends! ... Tes cheveux sont mêlés
aux branches... Attends, attends!... Il fait
noir ...

5   *Entre Golaud par le chemin de ronde.*

GOLAUD

Que faites-vous ici ?

PELLÉAS

Ce que je fais ici ... Je ...

10   ### GOLAUD

Vous êtes des enfants... Mélisande, ne te
penche pas ainsi à la fenêtre, tu vas tomber...
Vous ne savez pas qu'il est tard?—Il est près de
minuit.—Ne jouez pas ainsi dans l'obscurité.
15 — Vous êtes des enfants ... (*Riant nerveusement.*)
Quels enfants!... Quels enfants!...

            Il sort avec Pelléas.

SCÈNE III

LES SOUTERRAINS DU CHATEAU

            Entrent Golaud et Pelléas.

20   ### GOLAUD

Prenez garde; par ici, par ici. — Vous n'avez
jamais pénétré dans ces souterrains ?

PELLÉAS

Si, une fois, dans le temps; mais il y a long-
25 temps ...

GOLAUD

Ils sont prodigieusement grands; c'est une
suite de grottes énormes qui aboutissent, Dieu
sait où. Tout le château est bâti sur ces grottes.
Sentez-vous l'odeur mortelle qui règne ici? — 5
C'est ce que je voulais vous faire remarquer.
Selon moi, elle provient du petit lac souterrain
que je vais vous faire voir. Prenez garde; mar-
chez devant moi, dans la clarté de ma lanterne.
Je vous avertirai lorsque nous y serons. (*Ils* 10
continuent à marcher en silence.) Hé! Hé! Pelléas!
arrêtez! arrêtez! — (*Il le saisit par le bras.*)
Pour Dieu!... Mais ne voyez-vous pas? — Un
pas de plus, vous étiez dans le gouffre!...

PELLÉAS 15

Mais je n'y voyais pas!... La lanterne ne
m'éclairait plus...

GOLAUD

J'ai fait un faux pas... mais si je ne vous
avais pas retenu par le bras.. Eh bien, voici 20
l'eau stagnante dont je vous parlais.. Sentez-
vous l'odeur de mort qui monte? — Allons
jusqu'au bout de ce rocher qui surplombe et
penchez-vous un peu. Elle viendra vous frapper
au visage. 25

PELLÉAS

Je la sens déjà... on dirait une odeur de tombeau.

GOLAUD

Plus loin, plus loin... C'est elle qui, certains 30

jours, empoisonne le château. Le roi ne veut
pas croire qu'elle vient d'ici. — Il faudrait faire
murer la grotte où se trouve cette eau morte.
Il serait temps d'ailleurs d'examiner ces sou-
5 terrains. Avez-vous remarqué ces lézardes dans
les murs et les piliers des voûtes ? — Il y a ici
un travail caché qu'on ne soupçonne pas; et
tout le château s'engloutira une de ces nuits,
si l'on n'y prend pas garde. Mais que voulez-
10 vous ? personne n'aime à descendre jusqu'ici...
Il y a d'étranges lézardes dans bien des murs...
Oh! voici... sentez-vous l'odeur de mort qui
s'élève ?

PELLÉAS

15 Oui, il y a une odeur de mort qui monte autour
de nous...

GOLAUD

Penchez-vous; n'ayez pas peur... je vous
tiendrai... donnez-moi... non, non, pas la
20 main... elle pourrait glisser... le bras, le
bras... Voyez-vous le gouffre ? (*Troublé.*) —
Pelléas ? Pelléas ?...

PELLÉAS

Oui; je crois que je vois le fond du gouffre...
25 Est-ce la lumière qui tremble ainsi ?... Vous...

Il se redresse, se retourne, regarde Golaud.

GOLAUD, *d'une voix tremblante*

Oui; c'est la lanterne... Voyez, je l'agitais
pour éclairer les parois...

PELLÉAS

J'étouffe ici ... sortons ...

GOLAUD

Oui; sortons ...

Ils sortent en silence. 5

SCÈNE IV

UNE TERRASSE AU SORTIR DES SOUTERRAINS

Entrent Golaud et Pelléas.

PELLÉAS

Ah! Je respire enfin!... J'ai cru, un instant,
que j'allais me trouver mal dans ces énormes 10
grottes; et je fus sur le point de tomber ... Il y
a là un air humide et lourd comme une rosée
de plomb, et des ténèbres épaisses comme une
pâte empoisonnée ... Et maintenant, tout l'air
de toute la mer!... Il y a un vent frais, voyez, 15
frais comme une feuille qui vient de s'ouvrir,
sur les petites lames vertes ... Tiens! on vient
d'arroser les fleurs au pied de la terrasse, et
l'odeur de la verdure et des roses mouillées
s'élève jusqu'à nous ... Il doit être près de midi, 20
elles sont déjà dans l'ombre de la tour ... Il est
midi; j'entends sonner les cloches et les enfants
descendent sur la plage pour se baigner ... Je
ne savais pas que nous fussions restés si longtemps dans les caves ... 25

GOLAUD

Nous y sommes descendus vers onze heures ...

PELLÉAS

Plus tôt; il devait être plus tôt; j'ai entendu
5 sonner la demie de dix heures.

GOLAUD

Dix heures et demie ou onze heures moins
le quart ...

PELLÉAS

10   On a ouvert toutes les fenêtres du château.
Il fera extraordinairement chaud cet après-
midi ... Tiens, voilà notre mère et Mélisande à
une fenêtre de la tour ...

GOLAUD

15   Oui; elles se sont réfugiées du côté de l'ombre.
—A propos de Mélisande, j'ai entendu ce qui
s'est passé et ce qui s'est dit hier au soir. Je le
sais bien, ce sont là jeux d'enfants; mais il ne
faut pas qu'ils se renouvellent. Mélisande est
20 très jeune et très impressionnable, et il faut
qu'on la ménage d'autant plus qu'elle sera
bientôt mère ... Elle est très délicate, à peine
femme; et la moindre émotion pourrait amener un malheur. Ce n'est pas la première fois
25 que je remarque qu'il pourrait y avoir quelque chose entre vous ... vous êtes plus âgé
qu'elle; il suffira de vous l'avoir dit ... Évi-
tez-la autant que possible, mais sans affectation d'ailleurs; sans affectation ... —Qu'est-
30 ce que je vois là sur la route du côté de la forêt ? ...

PELLÉAS

Ce sont des troupeaux qu'on mène vers la
ville...

GOLAUD

Ils pleurent comme des enfants perdus; on
dirait qu'ils sentent déjà le boucher. — Quelle
belle journée! Quelle admirable journée pour
la moisson!...

Ils sortent.

SCÈNE V

Devant le chateau   10

Entrent Golaud et le petit Yniold.

GOLAUD

Viens, asseyons-nous ici, Yniold; viens sur
mes genoux: nous verrons d'ici ce qui se passe
dans la forêt. Je ne te vois plus du tout depuis
quelque temps. Tu m'abandonnes aussi; tu
es toujours chez petite-mère... Tiens, nous
sommes tout juste assis sous les fenêtres de
petite-mère. — Elle fait peut-être sa prière du
soir en ce moment... Mais dis-moi, Yniold,
elle est souvent avec ton oncle Pelléas, n'est-
ce pas?

YNIOLD

Oui, oui; toujours, petit-père; quand vous
n'êtes pas là, petit-père...

η. Harvest.

GOLAUD

Ah! — Quelqu'un passe avec une lanterne dans le jardin. — Mais on m'a dit qu'ils ne s'aimaient pas … Il paraît qu'ils se querellent 5 souvent … non? Est-ce vrai?

YNIOLD

Oui, c'est vrai.

GOLAUD

Oui? — Ah! ah! — Mais à propos de quoi se 10 querellent-ils?

YNIOLD

A propos de la porte.

GOLAUD

Comment? à propos de la porte? — Qu'est-ce 15 que tu racontes là? — Mais voyons, explique-toi; pourquoi se querellent-ils à propos de la porte?

YNIOLD

Parce qu'on ne veut pas qu'elle soit ouverte.

20 ### GOLAUD

Qui ne veut pas qu'elle soit ouverte? — Voyons, pourquoi se querellent-ils?

YNIOLD

Je ne sais pas, petit-père, à propos de la lu-25 mière.

GOLAUD

Je ne te parle pas de la lumière: nous en parlerons tout à l'heure. Je te parle de la porte. Réponds à ce que je te demande; tu dois appren-

dre à parler; il est temps ... Ne mets pas ainsi
la main dans la bouche ... voyons ...

YNIOLD

Petit-père! petit-père!...Je ne le ferai plus ...

Il pleure.   5

GOLAUD

Voyons;   pourquoi pleures-tu?   Qu'est-il arrivé?

YNIOLD

Oh! oh! petit-père, vous m'avez fait mal...10

GOLAUD

Je t'ai fait mal? — Où t'ai-je fait mal? C'est
sans le vouloir ...

YNIOLD

Ici, à mon petit bras ...   15

GOLAUD

C'est sans le vouloir; voyons, ne pleure plus,
je te donnerai quelque chose demain ...

YNIOLD

Quoi, petit-père?   20

GOLAUD

Un carquois et des flèches; mais dis-moi ce
que tu sais au sujet de la porte.

YNIOLD

De grandes flèches?   25

GOLAUD

Oui, oui; de très grandes flèches. — Mais
pourquoi ne veulent-ils pas que la porte soit
ouverte ? — Voyons, réponds-moi à la fin ! —
5 Non, non; n'ouvre pas la bouche pour pleurer.
Je ne suis pas fâché. Nous allons causer tranquillement comme Pelléas et petite-mère quand
ils sont ensemble. De quoi parlent-ils quand
ils sont ensemble ?

10   YNIOLD

Pelléas et petite-mère ?

GOLAUD

Oui; de quoi parlent-ils ?

YNIOLD

15 De moi; toujours de moi.

GOLAUD

Et que disent-ils de toi ?

YNIOLD

Ils disent que je serai très grand.

20   GOLAUD

Ah ! misère de ma vie ! . . . je suis ici comme un
aveugle qui cherche son trésor au fond de l'océan !
. . . Je suis ici comme un nouveau-né perdu dans
la forêt et vous . . . Mais voyons, Yniold, j'étais
25 distrait; nous allons causer sérieusement. Pelléas
et petite-mère ne parlent-ils jamais de moi quand
je ne suis pas là ?

YNIOLD

Si, si, petit-père; ils parlent toujours de vous.

GOLAUD

Ah!... Et que disent-ils de moi?

YNIOLD   5

Ils disent que je deviendrai aussi grand que
vous.

GOLAUD

Tu es toujours près d'eux?

YNIOLD   10

Oui; oui; toujours, toujours, petit-père.

GOLAUD

Ils ne te disent jamais d'aller jouer ailleurs?

YNIOLD

Non, petit-père; ils ont peur quand je ne suis 15
pas là.

GOLAUD

Ils ont peur?... à quoi vois-tu qu'ils ont peur?

YNIOLD

Petite-mère qui dit toujours: ne t'en va pas, 20
ne t'en va pas... Ils sont malheureux, mais ils
rient...

GOLAUD

Mais cela ne prouve pas qu'ils aient peur.

YNIOLD   25

Si, si, petit-père; elle a peur.

GOLAUD

Pourquoi dis-tu qu'elle a peur ?

YNIOLD

Ils pleurent toujours dans l'obscurité.

5
GOLAUD

Ah ! ah ! . . .

YNIOLD

Cela fait pleurer aussi . . .

GOLAUD

10 Oui, oui . . .

YNIOLD

Elle est pâle, petit-père.

GOLAUD

Ah ! ah ! . . . patience, mon Dieu, patience . . .

15
YNIOLD

Quoi, petit-père ?

GOLAUD

Rien, rien, mon enfant. — J'ai vu passer un
loup dans la forêt. — Alors ils s'entendent bien ?
20 — Je suis heureux d'apprendre qu'ils sont d'accord. — Ils s'embrassent quelquefois ? — Non ?

YNIOLD

Ils s'embrassent, petit-père ? — Non, non. —
Ah ! si, petit-père, si, si ; une fois . . . une fois
25 qu'il pleuvait . . .

GOLAUD

Ils se sont embrassés ? — Mais comment, comment se sont-ils embrassés ?

YNIOLD

Comme ça, petit-père, comme ça !... (*Il lui* 5 *donne un baiser sur la bouche; riant.*) Ah ! ah ! votre barbe, petit-père ! ... Elle pique ! elle pique ! Elle devient toute grise, petit-père, et vos cheveux aussi; tout gris, tout gris ... (*La fenêtre sous laquelle ils sont assis, s'éclaire en ce moment, et sa* 10 *clarté vient tomber sur eux.*) Ah ! ah ! petite-mère a allumé sa lampe. Il fait clair, petit-père; il fait clair.

GOLAUD

Oui; il commence à faire clair ... 15

YNIOLD

Allons-y aussi, petit-père ...

GOLAUD

Où veux-tu aller ?

YNIOLD

Où il fait clair, petit-père. 20

GOLAUD

Non, non, mon enfant: restons encore dans l'ombre ... on ne sait pas, on ne sait pas encore ... Vois-tu là-bas ces pauvres qui essaient d'allumer un petit feu dans la forêt ? — Il a plu. Et 25 de l'autre côté, vois-tu le vieux jardinier qui essaie de soulever cet arbre que le vent a jeté en travers

du chemin ? — Il ne peut pas; l'arbre est trop
grand; l'arbre est trop lourd, et il restera du côté
où il est tombé. Il n'y a rien à faire à tout cela . . .
Je crois que Pelléas est fou . . .

5   YNIOLD

Non, petit-père, il n'est pas fou, mais il est très
bon.

                        GOLAUD

Veux-tu voir petite-mère ?

10   YNIOLD

Oui, oui; je veux la voir !

                        GOLAUD

Ne fais pas de bruit; je vais te hisser jusqu'à
la fenêtre. Elle est trop haute pour moi, bien que
15 je sois si grand . . . (*Il soulève l'enfant.*) Ne fais
pas le moindre bruit; petite-mère aurait terriblement peur . . . La vois-tu ? — Est-elle dans la
chambre ?

                        YNIOLD

20 Oui . . . Oh ! il fait clair !

                        GOLAUD

Elle est seule ?

                        YNIOLD

Oui . . . non, non; mon oncle Pelléas y est
25 aussi.

                        GOLAUD

Il ! . . .

                        YNIOLD

Ah ! ah ! petit-père ! vous m'avez fait mal ! . . .

L. 13 *lifr*

GOLAUD

Ce n'est rien; tais-toi; je ne le ferai plus; regarde, regarde, Yniold !... J'ai trébuché; parle
plus bas. Que font-ils ?

YNIOLD 5

Ils ne font rien, petit-père; ils attendent quelque chose.

GOLAUD

Sont-ils près l'un de l'autre ?

YNIOLD 10

Non, petit-père.

GOLAUD

Et ... Et le lit ? sont-ils près du lit.

YNIOLD

Le lit, petit-père ? Je ne vois pas le lit. 15

GOLAUD

Plus bas, plus bas; ils t'entendraient. Est-ce
qu'ils parlent ?

YNIOLD

Non, petit-père; ils ne parlent pas. 20

GOLAUD

Mais que font-ils ? — Il faut qu'ils fassent quelque chose ...

YNIOLD

Ils regardent la lumière. 25

GOLAUD

Tous les deux ?

YNIOLD

Oui, petit-père.

GOLAUD

Ils ne disent rien?

5
YNIOLD

Non, petit-père; ils ne ferment pas les yeux.

GOLAUD

Ils ne s'approchent pas l'un de l'autre?

YNIOLD

10   Non, petit-père; ils ne bougent pas.

GOLAUD

Ils sont assis?

YNIOLD

Non, petit-père; ils sont debout contre le mur.

15
GOLAUD

Ils ne font pas de gestes? — Ils ne se regardent pas? — Ils ne font pas de signes?...

YNIOLD

Non, petit-père. — Oh! oh! petit-père, ils ne
20 ferment jamais les yeux... J'ai terriblement peur...

GOLAUD

Tais-toi. Ils ne bougent pas encore?

YNIOLD

25   Non, petit-père. — j'ai peur, petit-père, laissez-moi descendre!

14. Standing

GOLAUD

De quoi donc as-tu peur ? — Regarde ! regarde !

YNIOLD

Je n'ose plus regarder, petit-père !... Laissez-
moi descendre !...   5

GOLAUD

Regarde ! regarde !

YNIOLD

Oh ! oh ! je vais crier, petit-père ! — Laissez-
moi descendre ! laissez-moi descendre !...   10

GOLAUD

Viens ; nous allons voir ce qui est arrivé.

                                     Ils sortent.

ACTE QUATRIÈME

SCÈNE PREMIÈRE

UN CORRIDOR DANS LE CHATEAU

Entrent et se rencontrent Pelléas et Mélisande.

PELLÉAS

Où vas-tu ? Il faut que je te parle ce soir.
5 Te verrai-je ?

MÉLISANDE

Oui.

PELLÉAS

Je sors de la chambre de mon père. Il va
10 mieux. Le médecin nous a dit qu'il était sauvé... Ce matin cependant j'avais le pressentiment que cette journée finirait mal. J'ai depuis quelque temps un bruit de malheur dans
les oreilles... Puis, il y eut tout à coup un
15 grand revirement; aujourd'hui, ce n'est plus
qu'une question de temps. On a ouvert toutes
les fenêtres de sa chambre. Il parle; il semble
heureux. Il ne parle pas encore comme un
homme ordinaire, mais déjà ses idées ne viennent
20 plus toutes de l'autre monde... Il m'a reconnu.
Il m'a pris la main, et il m'a dit de cet air étrange
qu'il a depuis qu'il est malade: « Est-ce toi,
Pelléas ? Tiens, tiens, je ne l'avais jamais re-

62

marqué, mais tu as le visage grave et amical de
ceux qui ne vivront pas longtemps... Il faut
voyager; il faut voyager...» C'est étrange;
je vais lui obéir... Ma mère l'écoutait et pleu-
rait de joie. — Tu ne t'en es pas aperçue? — 5
Toute la maison semble déjà revivre, on entend
respirer, on entend parler, on entend marcher...
Écoute; j'entends parler derrière cette porte.
Vite, vite, réponds vite, où te verrai-je?

MÉLISANDE   10

Où veux-tu?

PELLÉAS

Dans le parc; près de la fontaine des aveugles?
— Veux-tu? — Viendras-tu?

MÉLISANDE   15

Oui.

PELLÉAS

Ce sera le dernier soir; — je vais voyager
comme mon père l'a dit. Tu ne me verras plus...

MÉLISANDE   20

Ne dis pas cela, Pelléas... Je te verrai toujours; je te regarderai toujours...

PELLÉAS

Tu auras beau regarder... je serai si loin que
tu ne pourras plus me voir... Je vais tâcher 25
d'aller très loin... Je suis plein de joie et l'on
dirait que j'ai tout le poids du ciel et de la terre
sur le corps.

24. look in vain

MÉLISANDE

Qu'est-il arrivé, Pelléas ? — Je ne comprends
plus ce que tu dis ...

PELLÉAS

5 Va-t'en, va-t'en, séparons-nous. J'entends parler derrière cette porte ... Ce sont les étrangers qui sont arrivés au château ce matin ... Ils
vont sortir ... Allons-nous-en; ce sont les étrangers ...

10 *Ils sortent séparément.*

SCÈNE II

UN APPARTEMENT DANS LE CHATEAU

On découvre Arkël et Mélisande.

ARKEL

Maintenant que le père de Pelléas est sauvé,
15 et que la maladie, la vieille servante de la mort,
a quitté le château, un peu de joie et un peu de
soleil vont enfin rentrer dans la maison ...
Il était temps ! — Car depuis ta venue, on n'a
vécu ici qu'en chuchotant autour d'une chambre
20 fermée ... Et vraiment j'avais pitié de toi,
Mélisande ... Tu arrivais ici, toute joyeuse,
comme un enfant à la recherche d'une fête, et
au moment où tu entrais dans le vestibule, je
t'ai vue changer de visage, et probablement
25 d'âme, comme on change de visage, malgré soi,

lorsqu'on entre, à midi, dans une grotte trop
sombre et trop froide... Et depuis, à cause
de tout cela, souvent, je ne te comprenais plus...
Je t'observais, tu étais là, insouciante peut-être,
mais avec l'air étrange et égaré de quelqu'un 5
qui attendrait toujours un grand malheur, au
soleil, dans un beau jardin... Je ne puis pas
expliquer... Mais j'étais triste de te voir ainsi;
car tu es trop jeune et trop belle pour vivre déjà,
jour et nuit, sous l'haleine de la mort... Mais à 10
présent tout cela va changer. A mon âge, —
et c'est peut-être là le fruit le plus sûr de ma vie,
— à mon âge, j'ai acquis je ne sais quelle foi à la fidélité des événements, et j'ai toujours vu que tout
être jeune et beau créait autour de lui des événe- 15
ments jeunes, beaux et heureux... Et c'est toi,
maintenant, qui vas ouvrir la porte à l'ère nouvelle
que j'entrevois... Viens ici; pourquoi restes-tu
là sans répondre et sans lever les yeux? — Je ne
t'ai embrassée qu'une seule fois jusqu'ici, le 20
jour de ta venue; et cependant, les vieillards
ont besoin de toucher quelquefois de leurs lèvres,
le front d'une femme ou la joue d'un enfant, pour
croire encore à la fraîcheur de la vie et éloigner
un moment les menaces de la mort. As-tu peur 25
de mes vieilles lèvres? Comme j'avais pitié de
toi ces mois-ci!...

MÉLISANDE

Grand-père, je n'étais pas malheureuse...

ARKEL 30

Peut-être étais-tu de celles qui sont malheu-

reuses sans savoir qu'elles le sont... Laisse-moi
te regarder ainsi, de tout près, un moment...
on a un tel besoin de beauté aux côtés de la
mort...

5   *Entre Golaud.*

GOLAUD

Pelléas part ce soir.

ARKEL

Tu as du sang sur le front. — Qu'as-tu fait ?

10   #### GOLAUD

Rien, rien... j'ai passé au travers d'une haie
d'épines...

MÉLISANDE

Baissez un peu la tête, seigneur... Je vais
15 essuyer votre front...

GOLAUD, *la repoussant*

Je ne veux pas que tu me touches, entends-
tu ? Va-t'en, va-t'en ! — Je ne te parle pas. —
Où est mon épee ? — Je venais chercher mon
20 épée...

MÉLISANDE

Ici; sur le prie-Dieu.

GOLAUD

Apporte-la. — (*A Arkël.*) On vient encore de
25 trouver un paysan mort de faim, le long de la mer.
On dirait qu'ils tiennent tous à mourir sous nos
yeux. — (*A Mélisande.*) Eh bien, mon épée ? —
Pourquoi tremblez-vous ainsi ? — Je ne vais pas
vous tuer. Je voulais simplement examiner la

11. hedge of thorns   21. praying stool

lame. Je n'emploie pas l'épée à ces usages.
Pourquoi m'examinez-vous comme un pauvre ? —
Je ne viens pas vous demander l'aumône. Vous
espérez voir quelque chose dans mes yeux, sans
que je voie quelque chose dans les vôtres ? 5
Croyez-vous que je sache quelque chose ? — (*A
Arkël.*) Voyez-vous ces grands yeux ? — On dirait qu'ils sont fiers d'être purs ... Voudriez-vous
me dire ce que vous y voyez ? ...

ARKEL 10

Je n'y vois qu'une grande innocence ...

GOLAUD

Une grande innocence ! ... Ils sont plus grands
que l'innocence ! ... Ils sont plus purs que les
yeux d'un agneau ... Ils donneraient à Dieu 15
des leçons d'innocence ! Une grande innocence !
Écoutez : j'en suis si près que je sens la fraîcheur de leurs cils quand ils clignent ; et cependant, je suis moins loin des grands secrets de
l'autre monde que du plus petit secret de ces 20
yeux ! ... Une grande innocence ! Plus que de
l'innocence ! On dirait que les anges du ciel s'y
baignent tout le jour dans l'eau claire des mon-
tagnes ! ... Je les connais ces yeux ! Je les ai vus
à l'œuvre ! Fermez-les ! fermez-les ! ou je vais 25
les fermer pour longtemps ! ... — Ne mettez
pas ainsi la main droite à la gorge ; je dis une
chose très simple ... Je n'ai pas d'arrière-
pensée ... Si j'avais une arrière-pensée, pourquoi ne la dirais-je pas ? Ah ! ah ! — ne tâchez 30

pas de fuir! — Ici! — Donnez-moi cette main!
— Ah! vos mains sont trop chaudes... Allez-
vous-en! Votre chair me dégoûte!... Ici! — Il
ne s'agit plus de fuir à présent! — (*Il la saisit par*
5 *les cheveux.*) — Vous allez me suivre à genoux!
— A genoux! — A genoux devant moi! — Ah!
ah! vos longs cheveux servent enfin à quelque
chose!... A droite et puis à gauche! — A gauche
et puis à droite! — Absalon! Absalon! — En
10 avant! en arrière! Jusqu'à terre! jusqu'à
terre!... Vous voyez, vous voyez; je ris déjà
comme un vieillard...

ARKEL, accourant

Golaud!...

15   GOLAUD, *affectant un calme soudain*

Vous ferez comme il vous plaira, voyez-vous.
— Je n'attache aucune importance à cela. —
Je suis trop vieux; et puis, je ne suis pas un
espion. J'attendrai le hasard; et alors... Oh!
20 alors!... simplement parce que c'est l'usage;
simplement parce que c'est l'usage...

Il sort.

ARKEL

Qu'a-t-il donc ? — Il est ivre ?

25   MÉLISANDE, *en larmes*

Non, non; mais il ne m'aime plus... Je ne
suis pas heureuse!... Je ne suis pas heureuse!...

ARKEL

Si j'étais Dieu, j'aurais pitié du cœur des
30 hommes...

SCÈNE III

On découvre le petit Yniold qui cherche à soulever
un quartier de roc.

LE PETIT YNIOLD

Oh! cette pierre est lourde!... Elle est plus 5
lourde que moi... Elle est plus lourde que
tout... Je vois ma balle d'or entre le roc et cette
méchante pierre, et ne puis pas l'atteindre...
Mon petit bras n'est pas assez long... et cette
pierre ne peut pas être soulevée... Je ne puis 10
pas la soulever... et personne ne pourra la
soulever... Elle est plus lourde que toute la
maison... on dirait qu'elle a des <u>racines</u> dans
la terre... (*On entend au loin les bêlements d'un*
troupeau.) — Oh! oh! j'entends pleurer les mou- 15
tons... (*Il va voir au bord de la terrasse.*)
Tiens! il n'y a plus de soleil... Ils arrivent, les
petits moutons; ils arrivent... Il y en a!... *how many there are*
Il y en a!... ils ont peur du noir... Ils se
pressent!... Ils ne peuvent presque plus 20
marcher... Ils pleurent! ils pleurent! et ils
vont vite!... Ils sont déjà au grand carrefour.
Ah! ah! Ils ne savent plus où aller... Ils ne
pleurent plus... Ils attendent... Il y en a qui
voudraient prendre à droite... Ils voudraient 25
tous aller à droite... Ils ne peuvent pas!... Le
<u>berger</u> leur jette de la terre... Ah!... ah! Ils
vont passer par ici... Ils obéissent! Ils obéis-

13. Roots   14 Bleating   22 Crossroads   27 shepherd

sent! Ils vont passer sous la terrasse, ils vont
passer sous les rochers... Je vais les voir de
près... Oh! oh! comme il y en a!.. Il y en
a!... Toute la route en est pleine... Main-
5 tenant ils se taisent tous... Berger! berger!
pourquoi ne parlent-ils plus?

LE BERGER, *qu'on ne voit pas*

Parce que ce n'est pas le chemin de l'étable...

YNIOLD

10 Où vont-ils? — Berger! berger! — où vont-
ils? — Il ne m'entend plus. Ils sont déjà trop
loin... Ils vont vite... Ils ne font plus de
bruit... Ce n'est plus le chemin de l'étable...
Où vont-ils dormir cette nuit? — Oh! oh! — Il
15 fait trop noir... Je vais dire quelque chose à
quelqu'un...

Il sort.

SCÈNE IV

UNE FONTAINE DANS LE PARC

Entre Pelléas.

20   PELLÉAS

C'est le dernier soir... le dernier soir... Il
faut que tout finisse... J'ai joué comme un
enfant autour d'une chose que je ne soupçon-
nais pas... J'ai joué en rêve autour des pièges
25 de la destinée... Qui est-ce qui m'a réveillé

tout à coup? Je vais fuir en criant de joie et de
douleur comme un aveugle qui fuirait l'incendie de sa maison... Je vais lui dire que
je vais fuir... Mon père est hors de danger;
et je n'ai plus de quoi me mentir à moi-même... 5
Il est tard; elle ne vient pas... Je ferais mieux
de m'en aller sans la revoir... Il faut que je la
regarde bien cette fois-ci... Il y a des choses que
je ne me rappelle plus... on dirait, par moment,
qu'il y a plus de cent ans que je ne l'ai revue... 10
Et je n'ai pas encore regardé son regard... Il
ne me reste rien si je m'en vais ainsi. Et tous
ces souvenirs... c'est comme si j'emportais un
peu d'eau dans un sac de mousseline... Il faut
que je la voie une dernière fois, jusqu'au fond de 15
son cœur... Il faut que je lui dise tout ce que
je n'ai pas dit...

Entre Mélisande.

MÉLISANDE

Pelléas!   20

PELLÉAS

Mélisande! — Est-ce toi, Mélisande?

MÉLISANDE

Oui.

PELLÉAS   25

Viens ici: ne reste pas au bord du clair de
lune. — Viens ici. Nous avons tant de choses
à nous dire... Viens ici, dans l'ombre du tilleul.

MÉLISANDE

Laissez-moi dans la clarté...   30

PELLÉAS

On pourrait nous voir des fenêtres de la tour.
Viens ici; ici, nous n'avons rien à craindre. —
Prends garde, on pourrait nous voir . . .

5 ### MÉLISANDE

Je veux qu'on me voie . . .

PELLÉAS

Qu'as-tu donc ? — Tu as pu sortir sans qu'on
s'en soit aperçu ?

10 ### MÉLISANDE

Oui; votre frère dormait . . .

PELLÉAS

Il est tard. — Dans une heure on fermera les
portes. Il faut prendre garde. Pourquoi es-tu
15 venue si tard ?

MÉLISANDE

Votre frère avait un mauvais rêve. Et puis
ma robe s'est accrochée aux clous de la porte.
Voyez, elle est déchirée. J'ai perdu tout ce
20 temps et j'ai couru . . .

PELLÉAS

Ma pauvre Mélisande ! . . . J'aurais presque
peur de te toucher . . . Tu es encore hors d'haleine
comme un oiseau pourchassé . . . C'est pour moi,
25 pour moi que tu fais tout cela ? J'entends battre
ton cœur comme si c'était le mien . . . Viens ici . . .
plus près, plus près de moi . . .

19. nails 29. pursued

MÉLISANDE

Pourquoi riez-vous ?

PELLÉAS

Je ne ris pas; — ou bien je ris de joie, sans
le savoir . . . Il y aurait plutôt de quoi pleurer. . .   5

MÉLISANDE

Nous sommes venus ici il y a bien longtemps . . .
Je me rappelle . . .

PELLÉAS

Oui . . . oui . . . Il y a de longs mois. — Alors, 10
je ne savais pas . . . Sais-tu pourquoi je t'ai de-
mandé de venir ce soir ?

MÉLISANDE

Non.

PELLÉAS   15

C'est peut-être la dernière fois que je te vois . . .
Il faut que je m'en aille pour toujours . . .

MÉLISANDE

Pourquoi dis-tu toujours que tu t'en vas ? . . .

PELLÉAS   20

Je dois te dire ce que tu sais déjà ? — Tu ne
sais pas ce que je vais te dire ?

MÉLISANDE

Mais non, mais non; je ne sais rien . . .

PELLÉAS   25

Tu ne sais pas pourquoi il faut que je
m'éloigne . . . (*Il l'embrasse brusquement.*) Je
t'aime . . .

MÉLISANDE, *à voix basse*

Je t'aime aussi . . .

PELLÉAS

Oh! Qu'as-tu dit, Mélisande! . . .   Je ne l'ai
5 presque pas entendu! On a brisé la glace avec
des fers rougis! . . . Tu dis cela d'une voix qui
vient du bout du monde! . . . Je ne t'ai presque
pas entendue . . .   Tu m'aimes? — Tu m'aimes
aussi? . . . Depuis quand m'aimes-tu?

10   MÉLISANDE

Depuis toujours . . . Depuis que je t'ai vu . . .

PELLÉAS

Oh! comme tu dis cela! . . . On dirait que ta
voix a passé sur la mer au printemps! . . . je ne
15 l'ai jamais entendue jusqu'ici . . . on dirait qu'il
a plu sur mon cœur! Tu dis cela si franchement! . . . Comme un ange qu'on interroge! . . .
Je ne puis pas le croire, Mélisande! . . . Pourquoi
m'aimerais-tu? — Mais pourquoi m'aimes-tu? —
20 Est-ce vrai ce que tu dis? — Tu ne me trompes
pas? — Tu ne mens pas un peu, pour me faire
sourire? . . .

MÉLISANDE

Non; je ne mens jamais; je ne mens qu'à
25 ton frère . . .

PELLÉAS

Oh! comme tu dis cela! . . . Ta voix! ta voix . . .
Elle est plus fraîche et plus franche que l'eau! . . .
On dirait de l'eau pure sur mes lèvres! . . . On
dirait de l'eau pure sur mes mains . . . Donne-

moi, donne-moi tes mains … Oh! tes mains
sont petites! … Je ne savais pas que tu étais si
belle! … Je n'avais jamais rien vu d'aussi beau,
avant toi … j'étais inquiet, je cherchais partout
dans la maison … Je cherchais partout dans la 5
campagne … Et je ne trouvais pas la beauté …
Et maintenant je t'ai trouvée! … Je t'ai trouvée! … Je ne crois pas qu'il y ait sur la terre une
femme plus belle! … Où es-tu? — Je ne t'entends plus respirer …   10

MÉLISANDE

C'est que je te regarde …

PELLÉAS

Pourquoi me regardes-tu si gravement? —
Nous sommes déjà dans l'ombre. — Il fait trop 15
noir sous cet arbre. Viens dans la lumière. Nous
ne pouvons pas voir combien nous sommes
heureux. Viens, viens; il nous reste si peu de
temps …

MÉLISANDE   20

Non, non; restons ici … Je suis plus près de
toi dans l'obscurité …

PELLÉAS

Où sont tes yeux? — Tu ne vas pas me fuir?
— Tu ne songes pas à moi en ce moment.   25

MÉLISANDE

Mais si, mais si, je ne songe qu'à toi …

PELLÉAS

Tu regardais ailleurs …

MÉLISANDE

Je te voyais ailleurs . . .

PELLÉAS

Tu es distraite . . . Qu'as-tu donc ? — Tu ne
5 me sembles pas heureuse . . .

MÉLISANDE

Si, si; je suis heureuse, mais je suis triste . . .

PELLÉAS

On est triste, souvent, quand on s'aime . . .

10 #### MÉLISANDE

Je pleure toujours lorsque je songe à toi . . .

PELLÉAS

Moi aussi . . . moi aussi, Mélisande . . . Je suis
tout près de toi; je pleure de joie et cepen-
15 dant . . . (*Il l'embrasse encore.*) — Tu es étrange
quand je t'embrasse ainsi . . . Tu es si belle
qu'on dirait que tu vas mourir . . .

MÉLISANDE

Toi aussi . . .

20 #### PELLÉAS

Voilà, voilà . . . Nous ne faisons pas ce que
nous voulons . . . Je ne t'aimais pas la première
fois que je t'ai vue . . .

MÉLISANDE

25 Moi non plus . . . J'avais peur . . .

1. elsewhere

PELLÉAS

Je ne pouvais pas regarder tes yeux... Je voulais m'en aller tout de suite... et puis...

MÉLISANDE

Moi, je ne voulais pas venir... Je ne sais pas 5 encore pourquoi, j'avais peur de venir...

PELLÉAS

Il y a tant de choses qu'on ne saura jamais... Nous attendons toujours; et puis... Quel est ce bruit? — On ferme les portes!... 10

MÉLISANDE

Oui, on a fermé les portes...

PELLÉAS

Nous ne pouvons plus rentrer! — Entends-tu les verrous! — Écoute! écoute!... les grandes 15 chaînes!... Il est trop tard, il est trop tard!...

MÉLISANDE

Tant mieux! tant mieux! tant mieux!

PELLÉAS

Tu?... Voilà, voilà!...Ce n'est plus nous qui 20 le voulons!... Tout est perdu, tout est sauvé! tout est sauvé ce soir! — Viens! viens... Mon cœur bat comme un fou jusqu'au fond de ma gorge... (*Il l'enlace.*) Écoute! écoute! mon cœur est sur le point de m'étrangler... Viens! 25 Viens!... Ah! qu'il fait beau dans les ténèbres!...

MÉLISANDE

Il y a quelqu'un derrière nous !...

PELLÉAS

Je ne vois personne ...

5 MÉLISANDE

J'ai entendu du bruit ...

PELLÉAS

Je n'entends que ton cœur dans l'obscurité ...

MÉLISANDE

10 J'ai entendu craquer les feuilles mortes ...

PELLÉAS

C'est le vent qui s'est tu tout à coup ... Il
est tombé pendant que nous nous embrassions ...

MÉLISANDE

15 Comme nos ombres sont grandes ce soir !...

PELLÉAS

Elles s'enlacent jusqu'au fond du jardin ...
Oh ! qu'elles s'embrassent loin de nous !...
Regarde ! Regarde !...

20 MÉLISANDE, *d'une voix étouffée*

A-a-h ! — Il est derrière un arbre !

PELLÉAS

Qui ?

MÉLISANDE

25 Golaud !

PELLÉAS

Golaud ? — où donc ? — je ne vois rien . . .

MÉLISANDE

Là, au bout de nos ombres . . .

PELLÉAS 5

Oui, oui; je l'ai vu . . . Ne nous retournons
pas brusquement . . .

MÉLISANDE

Il a son épée.

PELLÉAS 10

Je n'ai pas la mienne . . .

MÉLISANDE

Il a vu que nous nous embrassions.

PELLÉAS

Il ne sait pas que nous l'avons vu . . . Ne 15
bouge pas; ne tourne pas la tête . . . Il se pré-
cipiterait . . . Il restera là tant qu'il croira que
nous ne savons pas . . . Il nous observe . . . Il est
encore immobile . . . Va-t'en, va-t'en tout de
suite par ici . . . Je l'attendrai . . . Je l'arrê- 20
terai . . .

MÉLISANDE

Non, non, non ! . . .

PELLÉAS

Va-t'en ! va-t'en ! Il a tout vu ! . . . Il nous 25
tuera ! . . .

16. rush

MÉLISANDE

Tant mieux! tant mieux! tant mieux!...

PELLÉAS

Il vient! il vient!... Ta bouche!... Ta
5 bouche!...

MÉLISANDE

Oui!... oui!... oui!...

passionately

Ils s'embrassent éperdument.

PELLÉAS

10 Oh! oh! Toutes les étoiles tombent!...

MÉLISANDE

Sur moi aussi!... Sur moi aussi!...

PELLÉAS

Encore! Encore!... donne! donne!...

15 ### MÉLISANDE

Toute! toute! toute!...

*Golaud se précipite sur eux l'épée à la main, et
frappe Pelléas, qui tombe au bord de la fontaine.
Mélisande fuit épouvantée.*

20 ### MÉLISANDE, *fuyant*

Oh! oh! Je n'ai pas de courage!... Je n'ai
pas de courage!...

Golaud la poursuit à travers le bois, en silence.

ACTE CINQUIÈME

SCÈNE PREMIÈRE

UNE SALLE BASSE DANS LE CHATEAU

On découvre les servantes assemblées tandis qu'au dehors des enfants jouent devant un des soupiraux de la salle.

UNE VIEILLE SERVANTE 5

Vous verrez, vous verrez, mes filles; ce sera pour ce soir. — On nous préviendra tout à l'heure ...

UNE AUTRE SERVANTE

Ils ne savent plus ce qu'ils font ... 10

TROISIÈME SERVANTE

Attendons ici ...

QUATRIÈME SERVANTE

Nous saurons bien quand il faudra monter ...

CINQUIÈME SERVANTE 15

Quand le moment sera venu, nous monterons de nous-mêmes ...

SIXIÈME SERVANTE

On n'entend plus aucun bruit dans la maison ... 20

air vent

SEPTIÈME SERVANTE

Il faudrait faire taire les enfants qui jouent
devant le soupirail.

HUITIÈME SERVANTE

5   Ils se tairont d'eux-mêmes tout à l'heure.

NEUVIÈME SERVANTE

Le moment n'est pas encore venu...

Entre une vieille servante.

LA VIEILLE SERVANTE

10   Personne ne peut plus entrer dans la chambre.
J'ai écouté plus d'une heure.   On entendrait
marcher les mouches sur les portes... Je n'ai
rien entendu...

PREMIÈRE SERVANTE

15   Est-ce qu'on l'a laissée seule dans sa chambre ?

LA VIEILLE SERVANTE

Non, non; je crois que la chambre est pleine
de monde.

PREMIÈRE SERVANTE

20   On viendra, on viendra, tout à l'heure...

LA VIEILLE SERVANTE

Mon Dieu! Mon Dieu! Ce n'est pas le bonheur qui est entré dans la maison... On ne
peut pas parler, mais si je pouvais dire ce que
25 je sais...

DEUXIÈME SERVANTE

C'est vous qui les avez trouvés devant la
porte ?

LA VIEILLE SERVANTE

Mais oui, mais oui; c'est moi qui les ai trouvés. Le portier dit que c'est lui qui les a vus
le premier; mais c'est moi qui l'ai réveillé. Il
dormait sur le ventre et ne voulait pas se lever. 5
— Et maintenant il vient dire: « C'est moi qui
les ai vus le premier. » Est-ce que c'est juste ?
— Voyez-vous, je m'étais brûlée en allumant
une lampe pour descendre à la cave. — Qu'est-
ce que j'allais donc faire à la cave ? — Je ne 10
peux plus me rappeler. — Enfin, je me lève
à cinq heures; il ne faisait pas encore très clair;
je me dis, je vais traverser la cour, et puis, je
vais ouvrir la porte. Bien; je descends l'escalier
sur la pointe des pieds et j'ouvre la porte comme si 15
c'était une porte ordinaire ... Mon Dieu ! Mon
Dieu ! Qu'est-ce que je vois ! Devinez un peu
ce que je vois ! ...

PREMIÈRE SERVANTE

Ils étaient devant la porte ?   20

LA VIEILLE SERVANTE

Ils étaient étendus tous les deux devant la
porte ! ... Tout à fait comme des pauvres qui
ont faim ... Ils étaient serrés l'un contre l'autre
comme des petits enfants qui ont peur ... La 25
petite princesse était presque morte, et le grand
Golaud avait encore son épée dans le côté ...Il
y avait du sang sur le seuil ...

DEUXIÈME SERVANTE

Il faudrait faire taire les enfants ... Ils crient 30
de toutes leurs forces devant le soupirail ...

TROISIÈME SERVANTE

On n'entend plus ce qu'on dit ...

QUATRIÈME SERVANTE

Il n'y a rien à faire; j'ai déjà essayé, ils ne
5 veulent pas se taire ...

PREMIÈRE SERVANTE

Il paraît qu'il est presque guéri ?

LA VIEILLE SERVANTE

Qui ?

10   PREMIÈRE SERVANTE

Le grand Golaud.

TROISIÈME SERVANTE

Oui, oui; on l'a conduit dans la chambre
de sa femme. Je les ai rencontrés, tout à l'heure,
15 dans le corridor. On le soutenait comme s'il
était ivre. Il ne peut pas encore marcher seul.

LA VIEILLE SERVANTE

Il n'a pas pu se tuer; il est trop grand. Mais
elle n'est presque pas blessée et c'est elle qui
20 va mourir ... Comprenez-vous cela ?

PREMIÈRE SERVANTE

Vous avez vu la blessure ?

LA VIEILLE SERVANTE

Comme je vous vois, ma fille. — J'ai tout
25 vu, vous comprenez ... Je l'ai vue avant tous les
autres ... Une toute petite blessure sous son
petit sein gauche. Une petite blessure qui ne

ferait pas mourir un pigeon. Est-ce que c'est
naturel ?

PREMIÈRE SERVANTE

Oui, oui; il y a quelque chose là-dessous ...

DEUXIÈME SERVANTE   5

Oui, mais elle est accouchée il y a trois jours ...

LA VIEILLE SERVANTE

Justement ! ... Elle a accouché sur son lit de
mort; est-ce que ce n'est pas un grand signe ?
— Et quel enfant ! L'avez-vous vu ? — Une 10
toute petite fille qu'un pauvre ne voudrait pas
mettre au monde ... Une petite figure de cire
qui est venue beaucoup trop tôt ... une petite
figure de cire qui doit vivre dans de la laine
d'agneau ... oui, oui; ce n'est pas le bonheur 15
qui est entré dans la maison ...

PREMIÈRE SERVANTE

Oui, oui; c'est la main de Dieu qui a remué ...

TROISIÈME SERVANTE

C'est comme le bon seigneur Pelléas ... où 20
est-il ? — Personne ne le sait ...

LA VIEILLE SERVANTE

Si, si; tout le monde le sait ... Mais personne
n'ose en parler ... On ne parle pas de ceci ... on
ne parle pas de cela ... on ne parle plus de 25
rien ... on ne dit plus la vérité ... Mais moi, je
sais qu'on l'a trouvé au fond de la fontaine des
aveugles ... mais personne, personne n'a pu le

voir ... Voilà, voilà, on ne saura tout cela qu'au
dernier jour ...

PREMIÈRE SERVANTE

Je n'ose plus dormir ici ...

5   LA VIEILLE SERVANTE

Quand le malheur est dans la maison, on a
beau se taire ...

TROISIÈME SERVANTE

Il vous trouve tout de même ...

10   PREMIÈRE SERVANTE

Ils ont peur de nous maintenant ...

DEUXIÈME SERVANTE

Ils se taisent tous ...

TROISIÈME SERVANTE

15   Ils baissent les yeux dans les corridors.

QUATRIÈME SERVANTE

Ils ne parlent plus qu'à voix basse.

CINQUIÈME SERVANTE

On dirait qu'ils ont commis le crime tous
20 ensemble ...

SIXIÈME SERVANTE

On ne sait pas ce qu'ils ont fait ...

SEPTIÈME SERVANTE

Que faut-il faire quand les maîtres ont peur ? ...

25   *Un silence.*

PREMIÈRE SERVANTE

Je n'entends plus crier les enfants.

DEUXIÈME SERVANTE

Ils se sont assis devant le soupirail.

TROISIÈME SERVANTE   5

Ils sont serrés les uns contre les autres.

LA VIEILLE SERVANTE

Je n'entends plus rien dans la maison...

PREMIÈRE SERVANTE

On n'entend plus même respirer les enfants... 10

LA VIEILLE SERVANTE

Venez, venez; il est temps de monter...

    Elles sortent toutes, en silence.

SCÈNE II

Un appartement dans le chateau

On découvre Arkël, Golaud et le médecin dans un 15
coin de la chambre. Mélisande est étendue sur
son lit.

LE MÉDECIN

Ce n'est pas de cette petite blessure qu'elle
se meurt; un oiseau n'en serait pas mort... ce 20
n'est donc pas vous qui l'avez tuée, mon bon
seigneur; ne vous désolez pas ainsi... Elle ne
pouvait pas vivre... Elle est née sans raison...

pour mourir; et elle meurt sans raison... Et
puis, il n'est pas dit que nous ne la sauverons
pas...

ARKEL

5   Non, non; il me semble que nous nous tai-
sons trop, malgré nous, dans sa chambre... Ce
n'est pas un bon signe... Regardez comme elle
dort... lentement, lentement... on dirait que
son âme a froid pour toujours...

10   #### GOLAUD

J'ai tué sans raison! Est-ce que ce n'est pas
à faire pleurer les pierres!... Ils s'étaient embrassés comme des petits enfants... Ils s'étaient
simplement embrassés. Ils étaient frère et
15 sœur .. Et moi, moi tout de suite!... Je l'ai
fait malgré moi, voyez-vous... Je l'ai fait
malgré moi...

LE MÉDECIN

Attention; je crois qu'elle s'éveille ...

20   #### MÉLISANDE

Ouvrez la fenêtre... ouvrez la fenêtre..

ARKEL

Veux-tu que j'ouvre celle-ci, Mélisande?

MÉLISANDE

25   Non, non; la grande fenêtre... c'est pour
voir...

ARKEL

Est-ce que l'air de la mer n'est pas trop froid
ce soir?

LE MÉDECIN

Faites, faites . . .

MÉLISANDE

Merci . . Est-ce le soleil qui se couche ?

ARKEL   5

Oui; c'est le soleil qui se couche sur la mer;
il est tard. — Comment te trouves-tu, Mélisande ?

MÉLISANDE

Bien, bien. — Pourquoi demandez-vous cela ? 10
Je n'ai jamais été mieux portante. — Il me
semble cependant que je sais quelque chose . . .

ARKEL

Que dis-tu ? — Je ne te comprends pas . . .

MÉLISANDE   15

Je ne comprends pas non plus tout ce que je
dis, voyez-vous . . . Je ne sais pas ce que je dis . . .
Je ne sais pas ce que je sais . . . Je ne dis plus ce
que je veux . . .

ARKEL   20

Mais si, mais si . . . Je suis tout heureux de
t'entendre parler ainsi; tu as eu un peu de
délire ces jours-ci, et l'on ne te comprenait
plus . . . Mais maintenant, tout cela est bien
loin . . .   25

MÉLISANDE

Je ne sais pas . . . — Êtes-vous tout seul dans
la chambre, grand-père ?

ARKEL

Non; il y a encore le médecin qui t'a guérie . . .

MÉLISANDE

Ah . . .

5   ARKEL

Et puis il y a encore quelqu'un . . .

MÉLISANDE

Qui est-ce ?

ARKEL

10   C'est . . . il ne faut pas t'effrayer . . . Il ne te
veut pas le moindre mal, sois-en sûre . . . Si tu
as peur, il s'en ira . . . Il est très malheureux . . .

MÉLISANDE

Qui est-ce ?

15   ARKEL

C'est . . . c'est ton mari . . . c'est Golaud . . .

MÉLISANDE

Golaud est ici ? Pourquoi ne vient-il pas près
de moi ?

20   GOLAUD, *se traînant vers le lit*

Mélisande . . . Mélisande . . .

MÉLISANDE

Est-ce vous, Golaud ? Je ne vous reconnais-
sais presque plus . . . C'est que j'ai le soleil du
25 soir dans les yeux . . . Pourquoi regardez-vous
les murs ? Vous avez maigri et vieilli . . . Y a-t-il
longtemps que nous ne nous sommes vus ?

GOLAUD, *à Arkël et au médecin*

Voulez-vous vous éloigner un instant, mes
pauvres amis... Je laisserai la porte grande
ouverte... Un instant seulement... Je voudrais
lui dire quelque chose; sans cela je ne pour- 5
rais pas mourir... Voulez-vous? — Allez jusqu'au bout du corridor; vous pouvez revenir
tout de suite... Ne me refusez pas cela...
Je suis un malheureux... (*Sortent Arkël et le
médecin.*) — Mélisande, as-tu pitié de moi, comme 10
j'ai pitié de toi?... Mélisande?... Me par-
donnes-tu, Mélisande?...

MÉLISANDE

Oui oui, je te pardonne... Que faut-il pardonner?   15

GOLAUD

Je t'ai fait tant de mal, Mélisande... Je ne
puis pas te dire le mal que je t'ai fait... Mais
je le vois, je le vois si clairement aujourd'hui...
depuis le premier jour... Et tout ce que je ne 20
savais pas jusqu'ici, me saute aux yeux ce soir...
Et tout est de ma faute, tout ce qui est arrivé,
tout ce qui va arriver... Si je pouvais le dire,
tu verrais comme je le vois!... Je vois tout, je
vois tout!... Mais je t'aimais tant!... Je t'ai- 25
mais trop!... Mais maintenant, quelqu'un va
mourir... C'est moi qui vais mourir... Et je
voudrais savoir... Je voudrais te demander...
Tu ne m'en voudras pas?... Je voudrais... Il
faut dire la vérité à quelqu'un qui va mourir... 30

Il faut qu'il sache la vérité, sans cela il ne pourrait pas dormir ... Me jures-tu de dire la vérité ?

MÉLISANDE

Oui.

5
GOLAUD

As-tu aimé Pelléas ?

MÉLISANDE

Mais oui; je l'ai aimé. Où est-il ?

GOLAUD

10   Tu ne me comprends pas ? — Tu ne veux pas
me comprendre ? — Il me semble ... Il me semble ... Eh bien, voici: Je te demande si tu l'as
aimé d'un amour défendu ? ... As-tu ... avez-
vous été coupables ? Dis, dis, oui, oui, oui ?

15   MÉLISANDE

Non, non; nous n'avons pas été coupables ...
— Pourquoi demandez-vous cela ?

GOLAUD

Mélisande ! ... dis-moi la vérité pour l'amour
20 de Dieu !

MÉLISANDE

Pourquoi ? N'ai-je pas dit la vérité ?

GOLAUD

Ne mens plus ainsi, au moment de mourir !

25   MÉLISANDE

Qui est-ce qui va mourir ? — Est-ce moi ?

GOLAUD

Toi, toi ! et moi, moi aussi, après toi ! . . . Et
il nous faut la vérité . . . Il nous faut enfin la
vérité, entends-tu ! Dis-moi tout ! Dis-moi tout !
Je te pardonne tout . . .   5

MÉLISANDE

Pourquoi vais-je mourir ? — Je ne savais pas . . .

GOLAUD

Tu le sais maintenant ! . . . Il est temps ! Il est
temps ! . . . Vite ! vite ! . . . La vérité ! la vérité ! . . 10

MÉLISANDE

La vérité . . . la vérité . . .

GOLAUD

Où   es-tu ? — Mélisande ! — Où   es-tu ? — Ce
n'est pas naturel ! Mélisande ! Où es-tu ? Où vas- 15
tu ? (*Apercevant Arkël et le médecin à la porte de la
chambre.*) — Oui, oui; vous pouvez rentrer . . .
Je ne sais rien; c'est inutile . . . Il est trop tard;
elle est déjà trop loin de nous . . . Je ne saurai
jamais ! . . . Je vais mourir ici comme un 20
aveugle ! . . .

ARKEL

Qu'avez-vous fait ? Vous allez la tuer . . .

GOLAUD

Je l'ai déjà tuée . . .   25

ARKEL

Mélisande . . .

MÉLISANDE

Est-ce vous, grand-père ?

ARKEL

Oui, ma fille ... Que veux-tu que je fasse ?

5   MÉLISANDE

Est-il vrai que l'hiver commence ?

ARKEL

Pourquoi demandes-tu cela ?

MÉLISANDE

10 Parce qu'il fait froid et qu'il n'y a plus de
feuilles ...

ARKEL

Tu as froid ? — Veux-tu qu'on ferme les
fenêtres ?

15   MÉLISANDE

Non, non ... jusqu'à ce que le soleil soit au
fond de la mer. — Il descend lentement ...
Alors c'est l'hiver qui commence ?

ARKEL

20 Oui. — Tu n'aimes pas l'hiver ?

MÉLISANDE

Oh ! non ! ... J'ai peur du froid — Ah ! j'ai
peur des grands froids ...

ARKEL

25 Te sens-tu mieux ?

MÉLISANDE

Oui, oui ; je n'ai plus toutes ces inquiétudes ...

ARKEL

Veux-tu voir ton enfant ?

MÉLISANDE

Quel enfant ?

ARKEL   5

Ton enfant. — Tu es mère... Tu as mis au
monde une petite fille...

MÉLISANDE

Où est-elle ?

ARKEL   10

Ici...

MÉLISANDE

C'est étrange... je ne peux pas lever les bras
pour la prendre...

ARKEL   15

C'est que tu es encore très faible... Je la
tiendrai moi-même; regarde...

MÉLISANDE

Elle ne rit pas... Elle est petite... Elle va
pleurer aussi... J'ai pitié d'elle...   20

*La chambre est envahie, peu à peu, par les ser-
vantes du château, qui se rangent en silence le long
des murs et attendent.*

GOLAUD, *se levant brusquement*

Qu'y a-t-il ? — Qu'est-ce que toutes ces femmes 25
viennent faire ici ?

LE MÉDECIN

Ce sont les servantes . . .

ARKEL

Qui les a appelées ?

5 ### LE MÉDECIN

Ce n'est pas moi . . .

GOLAUD

Pourquoi venez-vous ici ? — Personne ne vous
a demandées . . . Que venez-vous faire ici ? —
10 Mais qu'est-ce donc ? — Répondez ! . . .

Les servantes ne répondent pas.

ARKEL

Ne parlez pas trop fort . . . Elle va dormir;
elle a fermé les yeux . . .

15 ### GOLAUD

Ce n'est pas ? . . .

LE MÉDECIN

Non, non; voyez, elle respire . . .

ARKEL

20 Ses yeux sont pleins de larmes. — Maintenant c'est son âme qui pleure . . . Pourquoi
étend-elle ainsi les bras ? — Que veut-elle ?

LE MÉDECIN

C'est vers l'enfant sans doute. C'est la lutte
25 de la mère contre la mort . . .

GOLAUD

En ce moment ? — En ce moment ? — Il faut
le dire, dites ! dites !

LE MÉDECIN

Peut-être . . .   5

GOLAUD

Tout de suite ? . . . Oh ! Oh ! Il faut que je lui
dise . . . — Mélisande ! Mélisande ! . . . Laissez-
moi seul ! laissez-moi seul avec elle ! . . .

ARKEL   10

Non, non ; n'approchez pas . . . Ne la troublez
pas . . . Ne lui parlez plus . . . Vous ne savez pas
ce que c'est que l'âme . . .

GOLAUD

Elle ferme les yeux . . .   15

ARKEL

Attention . . . Attention . . . Il faut parler à
voix basse. — Il ne faut plus l'inquiéter . . . L'âme
humaine est très silencieuse . . . L'âme humaine
aime à s'en aller seule . . . Elle souffre si timi- 20
dement . . . Mais la tristesse, Golaud . . . mais la
tristesse de tout ce que l'on voit ! . . . Oh ! oh !
oh ! . . .

*En ce moment, toutes les servantes tombent subi-
tement à genoux au fond de la chambre.*   25

ARKEL, *se tournant*

Qu'y a-t-il ?

LE MÉDECIN, *s'approchant du lit et*
tâtant le corps

Elles ont raison.

Un long silence.

5   ARKEL

Je n'ai rien vu. — Êtes-vous sûr ? . . .

LE MÉDECIN

Oui, oui.

ARKEL

10   Je n'ai rien entendu . . . Si vite, si vite . . . Tout
à coup . . . Elle s'en va sans rien dire . . .

GOLAUD, *sanglotant*

Oh ! oh ! oh !

ARKEL

15   Ne restez pas ici, Golaud . . . Il lui faut le silence, maintenant . . . Venez, venez . . . C'est terrible, mais ce n'est pas votre faute . . . C'était
un petit être si tranquille, si timide et si silencieux . . . C'était un pauvre petit être mystérieux,
20   comme tout le monde . . . Elle est là, comme
si elle était la grande sœur de son enfant . . .
Venez, venez . . . Mon Dieu ! Mon Dieu ! . . . Je
n'y comprendrai rien non plus . . . Ne restons
pas ici. — Venez ; il ne faut pas que l'enfant
25   reste dans cette chambre . . . Il faut qu'il vive,
maintenant, à sa place . . . C'est le tour de la
pauvre petite . . .

Ils sortent en silence.

FIN

INTÉRIEUR

PIÈCE EN UN ACTE

PERSONNAGES

Dans le jardin

Le Vieillard
L'Étranger
5   Marthe
Marie } petites-filles du Vieillard

Dans la maison

Le Père
La Mère
10 Les deux Filles } personnages muets
L'Enfant

INTERIEUR

Un vieux jardin. — Au fond une maison, dont trois
fenêtres du rez-de-chaussée sont éclairées. — On
aperçoit assez distinctement une famille qui fait
la veillée sous la lampe. — Le père est assis au 5
coin du feu. — La mère, un coude sur la table, re-
garde dans le vide. — Deux jeunes filles, vêtues de
blanc, brodent, rêvent et sourient à la tranquillité
de la chambre. — Un enfant sommeille, la tête sur
l'épaule gauche de la mère. — Il semble que lorsque 10
l'un d'eux se lève, marche ou fait un geste, ses
mouvements soient graves, lents, rares et comme
spiritualisés par la distance, la lumière et le voile
indécis des fenêtres.
Le vieillard et l'étranger entrent avec précaution 15
dans le jardin.

LE VIEILLARD

Nous voici dans la partie du jardin qui s'étend
derrière la maison. Ils n'y viennent jamais.
Les portes sont de l'autre côté. — Elles sont 20
fermées et les volets sont clos. Mais il n'y a pas
de volets par ici et j'ai vu de la lumière...
Oui; ils veillent encore sous la lampe. Il est
heureux qu'ils ne nous aient pas entendus; la
mère et les jeunes filles seraient sorties peut- 25
être, et alors, qu'aurait-il fallu faire?...

101

L'ÉTRANGER

Qu'allons-nous faire ?

LE VIEILLARD

Je voudrais voir, d'abord, s'ils sont tous dans
5 la salle.   Oui, j'aperçois le père assis au coin du
feu.   Il attend, les mains sur les genoux...
la mère s'accoude sur la table.

L'ÉTRANGER

Elle nous regarde...

10   ### LE VIEILLARD

Non; elle ne sait pas ce qu'elle regarde; ses
yeux ne clignent pas.   Elle ne peut pas nous
voir; nous sommes dans l'ombre des grands
arbres.   Mais n'approchez pas davantage.   Les
15 deux sœurs de la morte sont aussi dans la chambre.
Elles brodent lentement; et le petit enfant s'est
endormi.   Il est neuf heures à l'horloge qui se
trouve dans le coin... Ils ne se doutent de rien
et ils ne parlent pas.

20   ### L'ÉTRANGER

Si l'on pouvait attirer l'attention du père, et
lui faire quelque signe ?   Il a tourné la tête de
ce côté.   Voulez-vous que je frappe à l'une des
fenêtres ? Il faut bien que l'un d'eux l'apprenne,
25 avant les autres...

LE VIEILLARD

Je ne sais qui choisir... Il faut prendre de
grandes précautions... Le père est vieux et

maladif... La mère aussi; et les sœurs sont
trop jeunes... Et tous l'aimaient, comme on
aime rarement... Je n'avais jamais vu de
maison plus heureuse... Non, non, n'approchez pas de la fenêtre; ce serait pis qu'autre 5
chose... Il vaut mieux l'annoncer le plus simplement que l'on peut; comme si c'était un
événement ordinaire; et ne pas paraître trop
triste; sinon leur douleur voudrait surpasser
la vôtre et ne saurait plus que faire... Allons 10
de l'autre côté du jardin. Nous frapperons à la
porte et nous entrerons comme si rien n'était
arrivé. J'entrerai le premier; ils ne seront pas
surpris de me voir; je viens parfois, le soir, leur
apporter des fleurs ou des fruits et passer quelques 15
heures avec eux.

L'ÉTRANGER

Pourquoi faut-il que je vous accompagne?
Allez seul; j'attendrai qu'on m'appelle... Ils
ne m'ont jamais vu... Je ne suis qu'un passant; 20
je suis un étranger...

LE VIEILLARD

Il vaut mieux ne pas être seul. Un malheur
qu'on n'apporte pas seul est moins net et moins
lourd... J'y songeais en venant jusqu'ici... Si 25
j'entre seul, il me faudra parler dès le premier
moment; ils sauront tout en quelques mots
et je n'aurai plus rien à dire; et j'ai peur du
silence qui suit les dernières paroles qui annoncent
un malheur... C'est alors que le cœur se 30

déchire... Si nous entrons ensemble, je leur
dis par exemple, après de longs détours: On
l'a trouvée ainsi... Elle flottait sur le fleuve
et ses mains étaient jointes.

5   L'ÉTRANGER

Ses mains n'étaient pas jointes; ses bras pen-
daient le long du corps.

LE VIEILLARD

Vous voyez qu'on parle malgré soi... Et le
10 malheur se perd dans les détails... sans quoi,
si j'entre seul, aux premiers mots, tel que je les
connais, ce serait effrayant, et Dieu sait ce qui
arriverait... Mais si nous parlons tour à tour,
ils nous écouteront et ne songeront pas à re-
15 garder la mauvaise nouvelle... N'oubliez pas
que la mère sera là et que sa vie tient à fort
peu de chose... Il est bon que la première
vague se brise sur quelques paroles inutiles...
Il faut qu'on parle un peu autour des malheu-
20 reux et qu'ils soient entourés. Les plus indiffé-
rents portent, sans le savoir, une part de la
douleur... Elle se divise ainsi sans bruit et sans
effort, comme l'air ou la lumière.

L'ÉTRANGER

25   Vos vêtements sont trempés et dégouttent
sur les dalles.

LE VIEILLARD

Le bas de mon manteau seul a trempé dans l'eau.
— Vous semblez avoir froid. Votre poitrine

est couverte de terre... Je ne l'avais pas remarqué sur la route, à cause de l'obscurité...

L'ÉTRANGER

Je suis entré dans l'eau jusqu'à la ceinture.

LE VIEILLARD 5

Y avait-il longtemps que vous l'aviez trouvée lorsque je suis venu ?

L'ÉTRANGER

Quelques instants à peine. J'allais vers le
village; il était déjà tard et la berge devenait 10
obscure. Je marchais, les yeux fixés sur le fleuve
parce qu'il était plus clair que la route, lorsque
je vois une chose étrange à deux pas d'une touffe
de roseaux... Je m'approche et j'aperçois sa
chevelure qui s'était élevée presque en cercle, 15
au-dessus de sa tête, et qui tournoyait ainsi,
selon le courant...

*Dans la chambre, les deux jeunes filles tournent
la tête vers la fenêtre.*

LE VIEILLARD 20

Avez-vous vu trembler sur leurs épaules la chevelure de ses deux sœurs?

L'ÉTRANGER

Elles ont tourné la tête de notre côté... Elles
ont simplement tourné la tête. J'ai peut-être 25
parlé trop fort. (*Les deux jeunes filles reprennent
leur première position.*) Mais déjà elles ne regardent plus... Je suis entré dans l'eau jusqu'à la

ceinture et j'ai pu la prendre par la main et l'amener sans efforts sur la rive... Elle était aussi belle que ses sœurs...

LE VIEILLARD

5   Elle était peut-être plus belle... Je ne sais pas pourquoi j'ai perdu tout courage...

L'ÉTRANGER

De quel courage parlez-vous? Nous avons fait tout ce que l'homme pouvait faire... Elle
10 était morte depuis plus d'une heure...

LE VIEILLARD

Elle vivait ce matin!... Je l'avais rencontrée au sortir de l'église... Elle m'avait dit qu'elle partait; elle allait voir son aïeule de l'autre
15 côté de ce fleuve où vous l'avez trouvée... Elle ne savait pas quand je la reverrais... Elle doit avoir été sur le point de me demander quelque chose; puis elle n'a pas osé et elle m'a quitté brusquement. Mais j'y songe à présent... Et
20 je n'avais rien vu!... Elle a souri comme sourient ceux qui veulent se taire ou qui ont peur qu'on ne comprenne pas... Elle semblait n'espérer qu'avec peine... ses yeux n'étaient pas clairs et ne m'ont presque pas regardé...

25   ### L'ÉTRANGER

Des paysans m'ont dit qu'ils l'avaient vue errer jusqu'au soir sur la rive... Ils croyaient qu'elle cherchait des fleurs... Il se peut que sa mort...

LE VIEILLARD

On ne sait pas . . . Et qu'est-ce que l'on sait ? . . .
Elle était peut-être de celles qui ne veulent rien
dire, et chacun porte en soi plus d'une raison
de ne plus vivre . . . On ne voit pas dans l'âme 5
comme on voit dans cette chambre. On vit
pendant des mois à côté de quelqu'un qui n'est
plus de ce monde et dont l'âme ne peut plus
s'incliner; on lui répond sans y songer: et vous
voyez ce qui arrive . . . Elles parlent en souriant 10
des fleurs qui sont tombées et pleurent dans
l'obscurité . . . Un ange même ne verrait pas
ce qu'il faut voir; et l'homme ne comprend
qu'après coup . . . Hier soir, elle était là, sous
la lampe comme ses sœurs, et vous ne les verriez 15
pas, telles qu'il faut les voir, si cela n'était pas
arrivé . . . Il me semble les voir pour la première
fois . . . Il faut ajouter quelque chose à la vie
ordinaire avant de pouvoir la comprendre . . .
Elles sont à vos côtés, vos yeux ne les quittent 20
pas; et vous ne les apercevez qu'au moment où
elles partent pour toujours . . . Et cependant,
l'étrange petite âme qu'elle devait avoir; la
pauvre et naïve et inépuisable petite âme qu'elle
a eue, mon enfant, si elle a fait ce qu'elle semble 25
avoir fait . . .

L'ÉTRANGER

En ce moment, ils sourient en silence dans
la chambre . . .

LE VIEILLARD   30

Ils sont tranquilles . . . Ils ne l'attendaient
pas ce soir . . .

24 — inépuisable

L'ÉTRANGER

Ils sourient sans bouger ... mais voici que le
père met un doigt sur les lèvres ...

LE VIEILLARD

5   Il désigne l'enfant endormi sur le cœur de
la mère ...

L'ÉTRANGER

Elle n'ose pas lever les yeux, de peur de troubler
son sommeil ...

10   #### LE VIEILLARD

Elles ne travaillent plus ... Il règne un grand
silence.

L'ÉTRANGER

Elles ont laissé tomber l'écheveau de soie
15 blanche ...

LE VIEILLARD

Ils regardent l'enfant ...

L'ÉTRANGER

Ils ne savent pas que d'autres les regardent ...

20   #### LE VIEILLARD

On nous regarde aussi ...

L'ÉTRANGER

Ils ont levé les yeux ...

LE VIEILLARD

25   Et cependant ils ne peuvent rien voir ...

14. skein

L'ÉTRANGER

Ils semblent heureux, et cependant, on ne sait
pas ce qu'il y a...

LE VIEILLARD

Ils se croient à l'abri... Ils ont fermé les 5
portes; et les fenêtres ont des barreaux de fer...
Ils ont consolidé les murs de la vieille maison;
ils ont mis des verrous aux trois portes de chêne...
Ils ont prévu tout ce qu'on peut prévoir...

L'ÉTRANGER   10

Il faudra finir par le dire... Quelqu'un pourrait
l'annoncer brusquement... Il y avait une foule
de paysans dans la prairie où se trouve la morte...
Si l'un d'eux frappait à la porte...

LE VIEILLARD   15

Marthe et Marie sont aux côtés de la petite
morte. Les paysans allaient faire un brancard
de feuillages; et j'ai dit à l'aînée de venir nous
avertir en hâte, du moment qu'ils se mettraient
en marche. Attendons qu'elle vienne; elle 20
m'accompagnera... Nous n'aurions pas dû les
regarder ainsi... Je croyais qu'il n'y avait qu'à
frapper à la porte; à entrer simplement, à chercher quelques phrases et à dire... Mais je les
ai vus vivre trop longtemps sous leur lampe. 25

Entre Marie.

MARIE

Ils viennent, grand-père.

LE VIEILLARD

Est-ce toi ? — Où sont-ils ?

MARIE

Ils sont au bas des dernières collines.

5   LE VIEILLARD

Ils viendront en silence ?

MARIE

Je leur ai dit de prier à voix basse. Marthe
les accompagne . . .

10   LE VIEILLARD

Ils sont nombreux ?

MARIE

Tout le village est autour des porteurs. Ils
avaient des lumières. Je leur ai dit de les
15 éteindre . . .

LE VIEILLARD

Par où viennent-ils ?

MARIE

Par les petits sentiers. Ils marchent lente-
20 ment . . .

LE VIEILLARD

Il est temps . . .

MARIE

Vous l'avez dit, grand-père ?

25   LE VIEILLARD

Tu vois bien que nous n'avons rien dit . . . Ils

attendent encore sous la lampe... Regarde,
mon enfant, regarde: tu verras quelque chose
de la vie...

MARIE

Oh! qu'ils semblent tranquilles! On dirait 5
que je les vois en rêve...

L'ÉTRANGER

Prenez garde, j'ai vu tressaillir les deux
sœurs...

LE VIEILLARD 10

Elles se lèvent...

L'ÉTRANGER

Je crois qu'elles viennent vers les fenêtres...

*L'une des deux sœurs dont ils parlent s'approche
en ce moment de la première fenêtre, l'autre, de la 15
troisième; et, appuyant les mains sur les vitres,
regardent longuement dans l'obscurité.*

LE VIEILLARD

Personne ne vient à la fenêtre du milieu...

MARIE 20

Elles regardent... Elles écoutent...

LE VIEILLARD

L'aînée sourit à ce qu'elle ne voit pas...

L'ÉTRANGER

Et la seconde a les yeux pleins de crainte... 25

LE VIEILLARD

Prenez garde; on ne sait pas jusqu'où l'âme s'étend autour des hommes...

Un long silence.   Marie se blottit contre la poi-
5 *trine du vieillard et l'embrasse.*

MARIE

Grand-père!...

LE VIEILLARD

Ne pleure pas, mon enfant... nous aurons
10 notre tour...

Un silence.

L'ÉTRANGER

Elles regardent longtemps...

LE VIEILLARD

15   Elles regarderaient cent mille ans qu'elles n'apercevraient rien, les pauvres sœurs... la nuit est trop obscure... Elles regardent par ici; et c'est par là que le malheur arrive...

L'ÉTRANGER

20   Il est heureux qu'elles regardent par ici... Je ne sais pas ce qui s'avance du côté des prairies...

MARIE

Je crois que c'est la foule... Ils sont si loin
25 qu'on les distingue à peine...

L'ÉTRANGER

Ils suivent les ondulations du sentier...

voici qu'ils reparaissent à côté d'un talus éclairé
par la lune ...

MARIE

Oh! qu'ils semblent nombreux ... Ils accou-
raient déjà du faubourg de la ville, lorsque je 5
suis venue ... Ils font un grand détour ...

LE VIEILLARD

Ils viendront malgré tout, et je les vois aussi ...
Ils sont en marche à travers les prairies. ...
Ils semblent si petits qu'on les distingue à peine 10
entre les herbes ... On dirait des enfants qui
jouent au clair de lune; et si elles les voyaient
elles ne comprendraient pas ... Elles ont beau
leur tourner le dos, ils approchent à chaque
pas qu'ils font et le malheur grandit depuis 15
plus de deux heures. Ils ne peuvent l'empêcher
de grandir; et ceux-là qui l'apportent ne peuvent
plus l'arrêter ... Il est leur maître aussi et il
faut qu'ils le servent ... Il a son but et il suit
son chemin ... Il est infatigable et il n'a qu'une 20
idée ... Il faut qu'ils lui prêtent leurs forces.
Ils sont tristes mais ils viennent ... Ils ont pitié
mais ils doivent avancer ...

MARIE

L'aînée ne sourit plus, grand-père ...   25

L'ÉTRANGER

Elles quittent les fenêtres ...

MARIE

Elles embrassent leur mère ...

1. slope
5 outskirts

L'ÉTRANGER

L'aînée a caressé les boucles de l'enfant qui
ne s'éveille pas ...

MARIE

5 Oh! voici que le père veut qu'on l'embrasse
aussi ...

L'ÉTRANGER

Maintenant le silence ...

MARIE

10 Elles reviennent aux côtés de la mère ...

L'ÉTRANGER

Et le père suit des yeux le grand balancier
de l'horloge ...

MARIE

15 On dirait qu'elles prient sans savoir ce qu'elles
font ...

L'ÉTRANGER

On dirait qu'elles écoutent leurs âmes ...

Un silence.

20   MARIE

Grand-père, ne le dites pas ce soir ! ...

LE VIEILLARD

Tu perds courage aussi . . Je savais bien qu'il
ne fallait pas regarder. J'ai près de quatre-
25 vingt-trois ans et c'est la première fois que la
vue de la vie m'ait frappé. Je ne sais pas pourquoi tout ce qu'ils font m'apparaît si étrange

1. curds

et si grave . . . Ils attendent la nuit, simplement,
sous leur lampe, comme nous l'aurions attendue sous la nôtre; et cependant je crois les
voir du haut d'un autre monde, parce que je
sais une petite vérité qu'ils ne savent pas en- 5
core . . . Est-ce cela, mes enfants? Dites-moi
donc pourquoi vous êtes pâles aussi? Je ne
savais pas qu'il y eût quelque chose de si triste
dans la vie, et qu'elle fît peur à ceux qui la regardent . . . Et rien ne serait arrivé que j'au- 10
rais peur à les voir si tranquilles . . . Ils ont
trop de confiance en ce monde . . . Ils sont là,
séparés de l'ennemi par de pauvres fenêtres . . .
Ils croient que rien n'arrivera parce qu'ils ont
fermé la porte et ils ne savent pas qu'il arrive 15
toujours quelque chose dans les âmes et que
le monde ne finit pas aux portes des maisons . . .
Ils sont si sûrs de leur petite vie, et ils ne se
doutent point que tant d'autres en savent davantage; et que moi, pauvre vieux, je tiens 20
ici, à deux pas de leur cœur, tout leur petit
bonheur entre mes vieilles mains que je n'ose
pas ouvrir . . .

MARIE

Ayez pitié, grand-père . . .   25

LE VIEILLARD

Nous avons pitié d'eux, mon enfant, mais
on n'a pas pitié de nous . . .

MARIE   30

Dites-le demain, grand-père, dites-le quand
il fera clair . . . ils ne seront pas aussi tristes . . .

LE VIEILLARD

Peut-être as-tu raison . . . Il vaudrait mieux laisser tout ceci dans la nuit. Et la lumière est douce à la douleur . . . Mais que nous diraient-
5 ils demain ? Le malheur rend jaloux; et ceux qu'il a frappés veulent le connaître avant les étrangers. Ils n'aiment pas qu'on le laisse aux mains des inconnus . . . Nous aurions l'air d'avoir dérobé quelque chose . . .

10   ### L'ÉTRANGER

Il n'est plus temps d'ailleurs; j'entends déjà le murmure des prières . . .

MARIE

Ils sont là . . . Ils passent derrière les haies . . .

15   *Entre Marthe.*

MARTHE

Me voici. Je les ai conduits jusqu'ici. Je leur ai dit d'attendre sur la route. (*On entend des cris d'enfants.*) Ah ! les enfants crient encore . . .
20 Je leur avais défendu de venir . . . Mais ils veulent voir aussi et les mères n'obéissent pas . . . Je vais leur dire . . . Non; ils se taisent. — Tout est-il prêt ? — J'ai apporté la petite bague qu'on a trouvée sur elle . . . Je l'ai couchée moi-
25 même sur le brancard. Elle a l'air de dormir . . . J'ai eu bien de la peine; ses cheveux ne voulaient pas m'obéir . . . J'ai fait cueillir des violettes . . . C'est triste, il n'y avait pas d'autres fleurs . . . Que faites-vous ici ? Pourquoi n'êtes-vous pas

auprès d'eux... (*Elles regardent aux fenêtres.*)
Ils ne pleurent pas ?... ils... vous ne l'avez pas
dit ?

LE VIEILLARD

Marthe, Marthe, il y a trop de vie dans ton 5
âme, tu ne peux pas comprendre...

MARTHE

Pourquoi ne comprendrais-je pas ?... (*Après
un silence et d'un ton de reproche très grave.*) Vous
ne pouviez pas faire cela, grand-père... 10

LE VIEILLARD

Marthe, tu ne sais pas...

MARTHE

C'est moi qui vais le dire.

LE VIEILLARD 15

Reste ici, mon enfant, et regarde un instant.

MARTHE

Oh! qu'ils sont malheureux!... Ils ne peuvent plus attendre...

LE VIEILLARD 20

Pourquoi ?

MARTHE

Je ne sais pas... mais ce n'est plus possible!...

LE VIEILLARD 25

Viens ici, mon enfant...

MARTHE

Quelle patience ils ont !...

LE VIEILLARD

Viens ici, mon enfant !...

5   MARTHE, *se retournant*

Où êtes-vous, grand-père ? Je suis si malheureuse que je ne vous vois plus... Moi-
même je ne sais plus que faire...

LE VIEILLARD

10   Ne les regarde plus; jusqu'à ce qu'ils sachent
tout...

MARTHE

Je veux y aller avec vous...

LE VIEILLARD

15   Non, Marthe, reste ici... Assieds-toi à côté
de ta sœur, sur ce vieux banc de pierre, contre
le mur de la maison, et ne regarde pas... Tu
es trop jeune, tu ne pourrais plus oublier...
Tu ne peux pas savoir ce que c'est qu'un visage
20 au moment où la mort va passer dans ses yeux...
Il y aura peut-être des cris... Ne te retourne
pas... Il n'y aura peut-être rien... Surtout,
ne te retourne pas, si tu n'entendais rien. On
ne sait pas d'avance la marche de la douleur...
25 Quelques petits sanglots aux racines profondes
et c'est tout, d'habitude... Je ne sais pas moi-
même ce qu'il me faudra faire quand je les en-
tendrai... Cela n'appartient plus à cette vie...

embrasse-moi, mon enfant, avant que je m'en
aille . . . (*Il sort.*)

Le murmure des prières s'est graduellement rap-
proché.   Une partie de la foule envahit le jardin.
On entend courir à pas sourds et parler à voix basse. 5

L'ÉTRANGER, *à la foule*

Restez ici . . . n'approchez pas des fenêtres . . .
Ou est-elle?

UN PAYSAN

Qui?   10

L'ÉTRANGER

Les autres . . . les porteurs? . . .

LE PAYSAN

Ils arrivent par l'allée qui conduit à la porte.
Le vieillard s'éloigne.   Marthe et Marie sont 15
assises sur le banc, le dos tourné aux fenêtres.
Petites rumeurs dans la foule.

L'ÉTRANGER

Silence! . . . Ne parlez pas.

La plus grande des deux sœurs se lève et va 20
pousser les verrous de la porte.

MARTHE

Elle ouvre?

L'ÉTRANGER

Au contraire, elle la ferme.   25

Un silence.

MARTHE

Grand-père n'est pas entré?

L'ÉTRANGER

Non... Elle revient s'asseoir à côté de la
5 mère... les autres ne bougent pas et l'enfant
dort toujours...

Un silence.

MARTHE

Ma petite sœur, donne-moi donc tes mains...

10 ### MARIE

Marthe!

Elles s'enlacent et se donnent un baiser.

L'ÉTRANGER

Il doit avoir frappé... Ils ont levé la tête en
15 même temps... ils se regardent...

MARTHE

Oh! oh! ma pauvre sœur... Je vais crier
aussi!...

Elle étouffe ses sanglots sur l'épaule de sa sœur.

20 ### L'ÉTRANGER

Il doit frapper encore... Le père regarde
l'horloge... Il se lève.

MARTHE

Ma sœur, ma sœur, je veux entrer aussi...
25 Ils ne peuvent plus être seuls...

MARIE

Marthe, Marthe!...

Elle la retient.

L'ÉTRANGER

Le père est à la porte... Il tire les verrous... 5
Il ouvre prudemment...

MARTHE

Oh!... vous ne voyez pas le...

L'ÉTRANGER

Quoi?   10

MARTHE

Ceux qui portent...

L'ÉTRANGER

Il ouvre à peine... Je ne vois qu'un coin de
la pelouse et le jet d'eau. Il ne lâche pas la 15
porte... il recule... il a l'air de dire: «Ah!
c'est vous!...» Il lève les bras... Il referme la
porte avec soin... Votre grand-père est entré
dans la chambre...

La foule s'est rapprochée des fenêtres. Marthe et 20
Marie se lèvent d'abord à demi, puis se rapprochent
aussi, étroitement enlacées. On voit le vieillard
s'avancer dans la salle. Les deux sœurs de la morte
se lèvent; la mère se lève également, après avoir assis,
avec soin, l'enfant dans le fauteuil qu'elle vient d'a- 25
bandonner; de sorte que, du dehors, on voit dormir
le petit, la tête un peu penchée, au milieu de la pièce.
La mère s'avance au-devant du vieillard et lui tend

*la main, mais la retire avant qu'il ait le temps de la
prendre.   Une des jeunes filles veut enlever le manteau du visiteur et l'autre lui avance un fauteuil.
Mais le vieillard fait un petit geste de refus.   Le père*
5 *sourit d'un air étonné.   Le vieillard regarde du côté
des fenêtres.*

L'ÉTRANGER

Il n'ose pas le dire ... Il nous a regardés ...
Rumeurs dans la foule.

10   ### L'ÉTRANGER

Taisez-vous! ...

*Le vieillard, voyant des visages aux fenêtres, a vive-
ment détourné les yeux.   Comme une des jeunes
filles lui avance toujours le même fauteuil, il finit*
15 *par s'asseoir et se passe à plusieurs <u>re</u>prises la main
droite sur le front.*

L'ÉTRANGER

Il s'assoit ...

Les autres personnes qui se trouvent dans la salle,
20 *s'assoient également, pendant que le père parle avec
volubilité.   Enfin le vieillard ouvre la bouche et le
son de sa voix semble attirer l'attention.   Mais le
père l'interrompt.   Le vieillard reprend la parole et
peu à peu les autres s'immobilisent.   Tout à coup, la*
25 *mère tressaille et se lève.*

MARTHE

Oh! la mère va comprendre! . .

Elle se détourne et se cache le visage dans les mains.

15. times

Nouvelles rumeurs dans la foule.   On se bouscule.
Des enfants crient et grimpent aux fenêtres afin de
voir aussi.

L'ÉTRANGER

Silence ! . . . Il ne l'a pas encore dit . . .   5

On voit que la mère interroge le vieillard avec
angoisse.   Il dit quelques mots encore; puis brus-
quement, tous les autres se lèvent et semblent l'in-
terpeller.   Il fait alors de la tête un lent signe
d'affirmation.   10

L'ÉTRANGER

Il l'a dit . . . Il l'a dit tout d'un coup ! . . .

VOIX DANS LA FOULE

Il l'a dit ! . . Il l'a dit ! . . .

L'ÉTRANGER   15

On n'entend rien . . .

Le vieillard se lève aussi et, sans se retourner,
montre du doigt la porte qui se trouve derrière lui.
La mère, le père et les deux jeunes filles se jettent
sur cette porte, que le père ne parvient pas à ouvrir 20
immédiatement.   Le vieillard veut empêcher la mère
de sortir.

VOIX DANS LA FOULE

Ils sortent . . . Ils sortent ! . . .

Bousculade dans le jardin.   Tous se précipitent 25
de l'autre côté de la maison et disparaissent à l'excep-
tion de l'Étranger qui demeure aux fenêtres.   Dans
la salle, la porte s'ouvre enfin à deux battants; tous

1. joelle
2. climbs   8. question
                   28. rides

*sortent en même temps.   On aperçoit le ciel étoilé,
la pelouse et le jet d'eau sous le clair de lune, tandis
qu'au milieu de la chambre abandonnée, l'enfant
continue de dormir paisiblement dans le fauteuil. —*
5 *Silence.*

L'ÉTRANGER.

L'enfant ne s'est pas réveillé ! . . .

Il sort aussi.

FIN

NOTES

NOTES

PELLÉAS ET MÉLISANDE

Page 2. 6. d'un premier lit, *by a former marriage.*

Page 4. 9. nous tirons, nous tirons... The repetitions, which are not as frequent in this play as in certain other early pieces of the author, are characteristic of Maeterlinck. Some of them belong in the speech of the Flemish common people, but most of them are doubtless due to the dramatist's particular conception of his characters.

Page 5. 7. vous n'en viendrez jamais à bout..., *you will never get it done.*

Page 5. 8. Une forêt. This frequent change of place is characteristic of Maeterlinck. In his earlier plays, such as this one or *La Princesse Maleine,* the changes are constant and call for a large number of settings. In some of the later plays they occur less often.

They offer much variety and charm in stage scenery but present serious practical problems of staging. The action may frequently gain in naturalness by this transposition to a different place, but also it may often lose in intensity and cumulative effect through these constant breaks. One might say that it makes the play more beautiful but less dramatic.

Page 7. 6. Je suis perdue! The frequent mechanical repetition of a thought or phrase often makes Maeterlinck's characters seem simple-minded — or at least like sleep-walkers. The author himself spoke of the characters of these early pieces as marionettes. They are helpless figures in the hands of Fate and they come to life and move only when the strings are pulled.

Page 7. 15–16. c'est la couronne qu'il m'a donnée. It is certainly unwarranted to seek a symbolic interpretation for all such incidents as this. The author has wished to surround Mélisande with mystery. Her refusal to disclose information applies to matters of no import quite as much as to those which might lend themselves to a significant interpretation.

Page 9. 6–7. Je chassais dans la forêt. The lost hunter or prince who finds a maiden, perhaps a princess or, more often, some one of supernatural origin in the forest is a very common feature of romantic medieval literature. This scene has probably been suggested by these romances, since Maeterlinck has often drawn inspiration from such sources.

Page 12. 16–17. je ne me suis jamais mis en travers d'une destinée, *I have never attempted to thwart destiny.* The rôle of the old man is one of the most frequent in Maeterlinck's plays. He is often a real actor in the drama, but is usually the indulgent or contemplative philosopher. This character is at times clearly the mouthpiece of the author, to the extent even of suggesting the " raisonneur " of the modern French stage, but he is less officious than the latter. Arkël is one of those, of whom Maeterlinck speaks, " who are wisest and who foresee the future but who can in no way alter the cruel and inexorable tragedy that Love and Death play with human beings."

Page 12. 27. Il a tout oublié. *He has lost all his reason.*

Page 13. 26–27. Nous ne savons pas ce que ce retour nous prépare. The desire of Pelléas to leave seems to be ascribed to an unconscious premonition of the tragedy in which he is to play a rôle.

Page 14. 16–17. Mais l'on s'y fait si vite. *But one gets used to it so quickly.*

Page 17. 26. Oh!... pourquoi partez-vous? Not infrequently Maeterlinck gives such scenes as this in which the contribution to the visible drama is of the slightest; in this instance, besides this speech, only one or two vague hints that Pelléas and Mélisande have an interest in each other. But it is the interior drama that is important, and the author aims only to suggest this, leaving its amplification to the imagination of each. We might see in this one reason for the frequent change in setting: the break is to be filled in by the spectator and a pause between scenes would give such opportunity.

Page 22. 2. Il est tombé dans l'eau. The symbolism of this scene, which is supported by later ones, is fairly obvious, but the beauty and marvelous simplicity of the action are merits quite beyond its symbolistic significance.

Page 24. 19–20. Je suis fait au fer et au sang. *I am accustomed to steel and blood.*

Page 27. 4. Il ne faut pas lui en vouloir. *You must not hold it against him.*

Page 27. 14–15. Il est vrai que ce château est très vieux et très sombre. This is the customary setting for the author's early plays and it seems a part of his Belgian inheritance, a reflection of his native environment. It is interesting to see the change wrought, apparently, by his later residence in France. The French sun and Latin clarity drive away most of these northern fogs, or at least give them a golden under lining.

Page 29. 13. Oui, oui! tout à fait sûre. Mélisande is almost as unconscious of the ordinary morals and virtues of life as would be the puppet figure she is supposed to represent. But we should remember the author's assertions concerning the innocence of the soul and its remoteness from, and unconsciousness of, the sins of the body. He wishes to suggest an interior, spiritual drama. Fortunately, in this case at least, he has thrown sufficient mystery over this drama to make it difficult for us to drag it into the light of realistic criticism.

Page 32. 1. le bruit du silence. Maeterlinck's first essay in *Le Trésor des Humbles* is on *Le Silence*. He treats it as an active power of immense importance, and this conception of Silence is often found in his plays.

Page **37.** 12. **Mais qu'est-ce qui te prend.** *What is the matter with you?*

Page **40.** 2–3. **ils ont pleuré tous les deux.** Any exact interpretation of this, or of the scenes immediately preceding it, is perhaps impossible, but the mounting tenseness of the situation is clearly to be felt.

Page **45.** 7. **et en retienne autant,** ... *and should retain as many more* . . .

Page **45.** 13. **Ce sont les colombes.** The doves are probably to be taken here as symbols of innocence, which flies away.

Page **47.** 14. **vous étiez dans le gouffre,** *you would have been over the precipice.*

Page **48.** 6–7. **Il y a ici un travail caché** ... *There is here a secret disintegration* . . .

Page **48.** 25. **Est-ce la lumière qui tremble ainsi ? Vous** ... Is there the suggestion here that Golaud is tempted to let Pelléas fall over the precipice ?

Page **61.** 12. **Viens; nous allons voir ce qui est arrivé.** The scene of which these are the closing words is strikingly daring and effective in its theatrical appeal. For once, at least, Maeterlinck has succeeded in gripping the attention of the spectators as a whole, and in thrilling them in unison by a drama that is unseen and unacted and is only evoked through the imagination.

Page **63.** 1–2. **tu as le visage grave et amical de ceux qui ne vivront pas longtemps** ... We find in this remark something of the mystic, which is one of the constant elements of Maeterlinck's character and philosophy. His ideas concerning those who are predestined to an early death are presented fully in his essay on *Les Avertis* in *Le Trésor des Humbles.* In connection with the phrase above it is interesting to note the following passage in this essay:

" Qui de nous ne passe la plus grande partie de sa vie à

l'ombre d'un événement qui n'a pas encore eu lieu? J'ai vu
ces graves attitudes, cette marche qui semblait avoir un but
trop prochain, ce pressentiment des grands froids et cet œil
qui ne se laissait pas distraire, en ceux mêmes dont la fin
devait être accidentelle et sur qui la mort allait s'abattre
inopinément du dehors.''

Page 68. 9. Absalon! The reference is, of course, to the
Biblical story of Absalom caught by the hair of his head in a
tree. The violence of Golaud at this point, in contrast with
his usual calmness, suggests a whole drama of torment of
soul, although the scene itself is rather theatrical.

**Page 68. 29–30. Si j'étais Dieu, j'aurais pitié du cœur
des hommes.** This helpless philosophy of Arkël is quite
characteristic of the author's early plays, where his characters
do not even struggle with destiny.

Page 70. 8. Parce que ce n'est pas le chemin de l'étable.
The sheep being led to the slaughter typify the helpless characters of this tragedy who are being drawn to their fate.

**Page 71. 5. et je n'ai plus de quoi me mentir à moi-
même,** *and I no longer have an excuse for deceiving myself.*

Page 78. 15. Comme nos ombres sont grandes ce soir!
This beautiful and tragic scene is strikingly suggestive of the
famous passage in *Tristan and Isolt,* where the two lovers
meet under the tree by the spring and see in the moonlight
the shadow of King Mark who is spying on them. Only here
the issue is immediately fatal, while in the old poem the final
tragedy comes later.

**Page 80. 23. Golaud la poursuit à travers le bois en
silence.** To preserve a perfectly harmonious work, a tragic
poem that is beautiful and romantic to the last, one would
need to end the play at this point. The dénouement in
Act V, although dramatic, is really different in tone: it is
decidedly more realistic and nearer the ordinary in its senti-
ments.

Page 82. 5. **Ils se tairont d'eux-mêmes tout à l'heure.** In the supposed effect of invisible Death on the children and servants, touched upon more than once in this act, it is difficult to see genuine mysticism; it seems nothing more than an appeal to current superstitions.

Page 86. 6–7. **on a beau se taire ...,** *it is useless to say nothing.*

Page 87–88. 24–1. **Elle est née sans raison ... pour mourir.**

It is not difficult to find the key to Maeterlinck's conception of Mélisande. In his essay on *Les Avertis*, he says, speaking of those who are predestined to early death:

" Pourquoi sont-ils venus et pourquoi s'en vont-ils ? Ne naissent-ils que pour nous affirmer que la vie n'a pas de but ? ... C'est notre mort qui guide notre vie et notre vie n'a d'autre but que notre mort. Notre mort est le moule où se coule notre vie et c'est elle qui a formé notre visage."

But above all Mélisande is a helpless marionette in the hands of Fate, playing unconsciously her pretty little tragedy. She is almost pure symbol, and that perhaps is the supreme merit of her conception, since she does not, through strength of individuality, divert attention from the spiritual drama. In any case this was Maeterlinck's idea. Speaking of these early plays he says: " En vérité, ils ne furent pas écrits pour des acteurs ordinaires. ... Je croyais sincèrement et je crois encore aujourd'hui, que les poèmes meurent lorsque des êtres vivants s'y introduisent ... Tout chef-d'œuvre est un symbole, et le symbole ne supporte pas la présence active de l'homme." (Préface)

Page 89. 11–12. **Il me semble cependant que je sais quelque chose.** Speaking of a brother who had died early the author says: " On eût dit que lui seul avait été prévenu, *sans le savoir*, tandis que nous savions peut-être quelque chose sans avoir reçu cet avertissement organique qu'il recélait depuis les premiers jours." (*Les Avertis*)

Page 94. 16–17. **jusqu'à ce que le soleil soit au fond de la mer,** *until the sun shall go down over the sea.*

Page 98. 19–20. *C'était un pauvre petit être mystérieux, comme tout le monde.* Here is a final expression of Maeterlinck's early philosophy, which is the foundation of his Static Drama. Human beings are puppets, unable to struggle against Fate or to understand its decrees. Even the wisest of those who take part in this tragedy, Arkël, can comprehend nothing of it.

" If from these characters that one surrenders thus to this hostile destruction, one can draw a few movements of charm and tenderness, a few words of kindness, of frail hope, of pity and of love, one has done all that one can humanly do."

(Maeterlinck in his Preface)

INTÉRIEUR

Page 100. 10. *personnages muets.* By putting the entire dramatic interest in characters who are neither seen nor heard on the stage, Maeterlinck has realized more perfectly in this play than in any other his early aim to evoke merely in the minds of the spectators a drama that would not be marred or transformed by the physical appearance or individuality of the actor. He has frequently affirmed the loss suffered by drama, in poetry and inner significance, through the intervention of the actor.

" Le théâtre est le lieu où meurent la plupart des chefs-d'œuvre, parce que la représentation d'un chef-d'œuvre à l'aide d'éléments accidentels et humains est antinomique. Tout chef-d'œuvre est un symbole, et le symbole ne supporte pas la présence active de l'homme.... Et c'est pour ces raisons, et pour d'autres encore... que j'avais destiné mes petits drames à des êtres indulgents aux poèmes, et que, faute de mieux, j'appelle 'marionnettes.' " (Préface)

Page 104. 16–17. *sa vie tient à fort peu de chose, her life hangs on so slender a thread.*

Page **107.** 15–17. vous ne les verriez pas, telles qu'il faut les voir, si cela n'était pas arrivé. Compare: "Si vous saviez que vous mourrez ce soir ou simplement que vous allez vous éloigner pour toujours, verriez-vous une dernière fois les êtres et les choses comme vous les avez vus jusqu'à ce jour ?" (*La Vie profonde* in *Le Trésor des Humbles*.)

Page **112.** 2–3. on ne sait pas jusqu'où l'âme s'étend autour des hommes ... Note the first lines of Maeterlinck's essay on *Le Réveil de l'Ame* in *Le Trésor des Humbles:* "Un temps viendra peut-être où nos âmes s'apercevront sans l'intermédiaire de nos sens. Il est certain que le domaine de l'âme s'étend chaque jour davantage."

Page **112.** 15. Elles regarderaient cent mille ans qu'elles ... Translate que by *and*.

Page **113.** 18–19. Il est leur maître aussi et il faut qu'ils le servent. The thought of the entire speech in which this line appears is a statement of Maeterlinck's early philosophy of the inexorability of Fate (Death) which closes in on its helpless victims, before the eyes of those powerless to hinder its approach. The speech is also to be noted for the cadenced movement of its language. Perhaps here this feature of Maeterlinck's style, which is sometimes open to criticism, can pretend to a legitimate effect.

Page **115.** 10–11. Et rien ne serait arrivé que j'aurais peur à les voir si tranquilles. *And even if nothing had happened I should be afraid to see them so peaceful.* For the force of que here see note on page 112, line 15.

VOCABULARY

VOCABULARY

NOTE: It is assumed that all those who read this text will have made, at least, a few weeks study of French, hence there are omitted from this vocabulary: (1) the articles and very common pronouns; (2) certain adverbs regularly derived from the adjective; (3) most proper names; and (4) some very obvious words that are identical, or nearly so, in spelling and meaning in French and English, such as *silence* and *présent*.

A

à, in, at, within, on, by, with.
abandonner, to abandon.
abattre (s'), to descend, alight.
abord, *m.*, approach; d'—, first.
aboutir, to end.
abri, *m.*, shelter.
accompagner, to accompany.
accord, *m.*, accord; d'—, agreed.
accoucher, to be delivered.
accouder (s'), to rest elbows on.
accourir, to run up, hasten to.
accrocher (s'), to be caught, hang on.
accueillir, to welcome, receive.
acquérir, to acquire.
acte, *m.*, act.
acteur, *m.*, actor.
actif, -ve, active; actual.
activité, *f.*, activity.
affecter, to pretend, assume.
affirmer, to affirm.

afin (de), in order to; — que, so that.
âgé, aged, old.
agir (s'), to concern, be a question of.
agiter, to move; s'—, to be in movement.
agneau, *m.*, lamb.
aide, *f.*, aid.
aider, to aid.
aïeul, *m.*, grandfather, ancestor.
aïeule, *f.*, grandmother.
aile, *f.*, wing.
ailleurs, elsewhere; d'—, besides.
aimer, to love, like.
aînée, eldest girl.
ainsi, thus.
air, *m.*, air, appearance; atmosphere.
ajouter, to add.
allée, *f.*, walk, passage.
aller, to go; s'en —, to go away.
allumer, to light.
alors, then.
âme, *f.*, soul.

137

amener, to bring on or to.
ami, *m.*, friend.
amical, friendly.
amitié, *f.*, friendship.
amour, *m.*, love.
an, *m.*, year.
ancien, former, ancient.
ange, *m.*, angel.
angoisse, *f.*, anguish.
anneau, *m.*, ring.
année, *f.*, year.
annoncer, to announce.
apercevoir, to perceive, see.
apparaître, to appear.
appartement, *m.*, apartment.
appartenir, to belong.
appeler, to call; send for.
apporter, to bring.
apprendre, to teach; learn.
approcher, to approach; s'— de, to approach.
appuyer, to lean.
après, after.
après-midi, *m.*, afternoon.
arbre, *m.*, tree.
arranger, to arrange.
arrêter, to stop; s'—, to stop.
arrière, *m.*, back part; en —, backward.
arrière-pensée, *f.*, mental reservation, hidden motive.
arriver, to arrive; happen.
arroser, to sprinkle, water.
assembler, to assemble.
asseoir, to seat; s'—, to sit down.
assez, enough.
assis, seated.
attacher, to attach.
atteindre, to reach, attain.
attendre, to wait, await, expect.

attention, *f.*, attention; take heed!
attirer, to attract.
aucun, any; no, not any.
au-dessous, beneath, below.
au-dessus (de), above.
au-devant (de), in front of.
aujourd'hui, today.
aumône, *f.*, alms.
auprès de, near to, beside.
aussi, also, as; —... que, as ... as.
autant, as many, so many, as much; d'— plus que, the more so since.
autour (de), around.
autre, other.
avance, *f.*, advance; d'—, beforehand.
avancer, to bring forward, advance; s'—, to advance.
avant (que), before; forward; en —, forward.
avec, with, along with.
avenir, *m.*, future.
averti, *m.*, one forewarned.
avertir, to warn.
avertissement, *m.*, warning.
aveugle, blind; *subs. m. or f.*, blind person.
avoir, to have; — beau faire, to do in vain; qu'y a-t-il, what is the matter?

B

bague, *f.*, ring.
baigner, to bathe.
baiser, *m.*, kiss.
baiser, to kiss.
baisser, to lower.
balancier, *m.*, pendulum.
balle, *f.*, ball.

banc, *m.*, bench.

bande, *f.*, band, belt.

barbe, *f.*, beard.

barreau, *m.*, bar, bolt.

bas, low; *subs. m.*, bottom, lower part; là-—, down there.

bassin, *m.*, basin.

bâtir, to build.

battant, *m.*, leaf, side (of door, *etc.*)

battre, to beat; se —, to fight.

beau, belle, beautiful, fine.

beaucoup, much, many.

beauté, *f.*, beauty.

bêlement, *m.*, bleating.

berge, *f.*, bank, shore.

berger, *m.*, shepherd.

besoin, *m.*, need.

bête, *f.*, animal.

bien, indeed, well, very, else; — de, many; eh —! well !

bien que, although.

bientôt, very soon.

blanc, white.

blesser, to wound.

blessure, *f.*, wound.

bleu, blue.

blottir (se), to cower, hide.

boire, to drink.

bois, *m.*, wood, woods.

bon, good, kind; well.

bonheur, *m.*, good fortune, happiness.

bonté, *f.*, kindness, goodness.

bord, *m.*, edge, brink.

bouche, *f.*, mouth.

boucher, *m.*, butcher.

boucle, *f.*, curl.

bouger, to move.

bousculade, *f.*, crowding, jostling.

bousculer, to jostle.

bout, *m.*, end.

brancard, *m.*, litter.

bras, *m.*, arm.

briller, to gleam, shine.

briser, to break.

broder, to embroider.

bruit, *m.*, noise.

brûler, to burn.

brume, *f.*, fog.

brusquement, suddenly.

but, *m.*, goal.

C

ça, that.

cacher, to conceal.

calme, calm; *subs. m.*, calmness.

campagne, *f.*, country.

car, for, because.

caresser, to caress.

carquois, *m.*, quiver.

carrefour, *m.*, cross-roads.

cause, *f.*, cause; à — de, because of.

causer, to chat.

cave, *f.*, cellar, underground chamber

ce, it, they, this.

ce, cet, *m.*, cette, *f.*, this.

ceci, this.

ceinture, *f.*, belt, waist.

cela, that.

celui, the one; —-ci, this one.

cent, a hundred.

centre, *m.*, center.

cependant, however.

cercle, *m.*, circle.

ceux (celle, *f.*), those.

chacun, each one.

chaîne, *f.*, chain.

chair, *f.*, flesh.

chambre, *f.*, room.

changer, to change.

chanter, to sing.

chaque, each, every.

chasse, *f.*, hunt.

chasser, to hunt, chase; drive away.

château, *m.*, castle, chateau.

chaud, warm; avoir —, to be warm.

chef-d'œuvre, *m.*, masterpiece.

chemin, *m.*, road, route; — de ronde, patrol-road.

chêne, *m.*, oak.

cher, dear.

chercher, to seek.

cheval, *m.*, horse.

chevelure, *f.*, hair (of the head).

chevet, *m.*, bed-side.

cheveu-x, *m.*, hair.

chez, with, at the home of.

chien, *m.*, dog.

choisir, to choose.

chose, *f.*, thing.

chuchoter, to whisper.

chute, *f.*, fall.

ciel, *m.*, sky, heaven.

cil, *m.*, eye-lash.

cinq, five.

cinquième, fifth.

cire, *f.*, wax.

clair, clear, bright, light; *subs. m.*, light.

clarté, *f.*, light, brightness.

clef, *f.*, key.

cligner, to blink, wink.

cloche, *f.*, bell; clock.

clos, closed.

clou, *m.*, nail.

cœur, *m.*, heart, bosom, breast.

coin, *m.*, corner.

colline, *f.*, hill.

colombe, *f.*, dove.

combien, how much, how many.

comme, how, as, like.

commencer, to begin.

comment, how, what.

commettre, to commit.

comprendre, to understand.

conduire, to conduct, guide.

confiance, *f.*, trust, confidence.

connaître, to know.

conseil, *m.*, advice.

consentir, to consent.

consolider, to strengthen.

contenir, to contain, hold.

continuer, to continue.

contraire, *m.*, contrary, opposite.

contre, against.

coquillages, *m. pl.*, shells.

corps, *m.*, body.

côte, *f.*, side; — à —, side by side.

côté, *m.*, side, direction; du —, toward.

cou, *m.*, neck.

coucher, to lay down, put to bed; (se) —, to lie down, go to bed; to set (of sun).

coude, *m.*, elbow.

couler (se), to be cast, molded.

coup, *m.*, blow, stroke; tout d'un —, all at once; tout à —, suddenly; après —, afterwards.

coupable, guilty, blamable.

cour, *f.*, yard, court-yard.

courant, *m.*, current.

courir, to run.

couronne, *f.*, crown.

couvert, covered.

craindre, to fear.

crainte, *f.*, fear.

craquer, to crack, crackle.

créer, to create.

cri, *m.*, cry.

crier, to cry out, screech, creak.

cristal, *m.*, crystal.

croire, to believe.

cueillir, to gather.

cygne, *m.*, swan.

D

dalle, *f.*, flagstone.

dangereux, dangerous.

dans, in, within, into.

davantage, more, further.

de, of, from, with, by, to; —, *partitive*, some.

debout, standing.

décevoir, to deceive, disappoint.

déchirer, to tear; se —, to be torn apart.

découvrir, to discover.

décrire, to describe.

défendre, to forbid.

dégoûter, to disgust.

dégoutter, to drip.

dehors, *m.*, outside.

déjà, already.

déjeuner, to take lunch or breakfast.

délire, *m.*, delirium.

délivrer, to deliver, free.

déluge, *m.*, flood.

demain, *adv. & subs. m.*, to-morrow.

demander, to ask.

demeurer, to remain.

demi, half; à —, half.

demie, *f.*, half.

dénouer, to untie, unbind.

dépasser, to extend beyond, overreach.

dépêcher (se), to hasten.

depuis (que), since.

dernier, last.

dérober, to steal; hide.

derrière, behind.

dès, as soon as.

descendre, to descend.

désigner, to indicate.

désoler, to devastate; se —, to grieve.

dessous, beneath; là- —, underneath.

destinée, *f.*, destiny.

destiner, to intend.

détail, *m.*, detail.

détour, *m.*, turning; circumlocution.

détourner, to turn away.

deux, two; tous les —, both.

deuxième, second.

devant, before; au- —, before, to meet.

devenir, to become.

deviner, to guess.

devoir, *m.*, duty.

devoir, to owe; ought, must.

Dieu, *m.*, God.

dire, to say, tell; se —, to be said; il n'est pas dit, it is not certain.

disparaître, to disappear.

distinctement, distinctly.

distinguer, to discern; se — de, to be distinguished from.

distraire, to divert.

distrait, absent-minded.

diviser, to divide.

dix, ten.

doigt, *m.*, finger.

domaine, *m.*, domain.

donc, then (*exclamatory*).

donner, to give.

dont, of which, whose.

dormir, to sleep.

dos, *m.*, back.

douleur, *f.*, pain, sorrow.

doute, *m.*, doubt.

douter (se), to suspect.

doux (douce *f.*), soft, kind.

douze, twelve.

douzième, twelvth.

drame, *m.*, drama.

dresser (se), to stand up, straighten up.

droit, *adj. & subs. m.*, right.

droite, *f.*, right hand.

E

eau, *f.*, water.

échapper (s'), to escape.

écheveau, *m.*, skein.

éclairer, to light up.

éclater, to burst.

écouter, to listen, hear.

écraser, to crush.

écrire, to write.

effrayer, to frighten; s'—, to become frightened.

également, likewise.

égaré, wandering, lost.

égayer, to cheer up, enliven.

église, *f.*, church.

élever, to raise; s'—, to rise.

éloigner, to remove, put away; s'—, to depart, go away.

embarquer (s'), to embark.

embrasser, to kiss.

empêcher, to prevent.

employer, to use.

empoisonner, to poison, infect.

emporter, to carry off, bring; s'—, to get angry; run away.

en, *prep.*, in, into, as, while.

en, *pron.*, of it, of them, some.

encore, again, still, yet.

endormir (s'), to fall asleep.

endroit, *m.*, place, point.

enfant, *m. & f.*, child.

enfin, at last, finally.

enfuir (s'), to flee, escape.

engager (s'), to enter.

engloutir (s'), to be swallowed up.

enlacer, to clasp, embrace.

enlever, to take off.

ennemi, *m.*, enemy.

énorme, enormous.

ensemble, together.

entendre, to hear, understand; s'—, to agree.

entier, entire, complete.

entourer, to surround.

entre, between.

entrée, *f.*, entrance.

entreprendre, to undertake.

entrer, to enter.

entrevoir, to catch a glimpse of.

envahir, to invade, overrun.

envers, *m.*, the wrong side.

envoler (s'), to fly away.

envoyer, to send.

épais, thick, dense.

épaule, *f.*, shoulder.

épaves, *f. pl.*, wrecks, remains.

épée, *f.*, sword.

éperdument, desperately.

épine, *f.*, thorn.

épouser, to marry.
épouvante, *f.*, fright, fear.
épouvanter, to frighten.
ère, *f.*, era.
errer, to wander.
escalier, *m.*, stair-way.
escarpé, steep.
espérer, to hope.
espion, *m.*, spy.
espoir, *m.*, hope.
essayer, to try.
essuyer, to wipe.
et, and.
étable, *f.*, stable, shelter.
état, *m.*, state, condition.
été, *m.*, summer.
éteindre, to extinguish.
étendre, to stretch out, extend.
étoile, *f.*, star.
étoilé, starry.
étonner, to astonish.
étouffer, to stifle.
étrange, strange, unusual, odd.
étranger, foreign; *subs. m.*, foreigner, stranger.
étrangler, to choke, strangle.
être, to be.
être, *m.*, being, person.
étroit, narrow, close.
eux, them; d'eux-mêmes, of their own accord.
éveiller, to awaken, arouse.
événement, *m.*, event, happening.
éviter, to avoid.
exactement, exactly.
examiner, to examine.
excuser, to excuse.
exemple, *m.*, example.
exiger, to exact.
expliquer, to explain.

explorer, to explore.
extraordinaire, extraordinary.

F

fâché, angry.
facile, easy.
faible, weak.
faim, *f.*, hunger; avoir —, to be hungry.
faire, to make, do; se — à, to get accustomed to; qu'il fasse clair, that it may get light; tout à fait, entirely; — beau, to be beautiful weather.
falloir, to be necessary; must.
famille, *f.*, family.
fatiguer, to tire.
faubourg, *m.*, suburb, outskirt.
faute, *f.*, fault.
fauteuil, *m.*, arm-chair.
faux, false.
femme, *f.*, woman, wife.
fenêtre, *f.*, window.
fente, *f.*, opening, cleft, chink.
fer, *m.*, iron, steel.
ferme, firm.
fermer, to close.
fête, *f.*, festival, fête.
feu, *m.*, fire.
feuillage, *m.*, leaves.
feuille, *f.*, leaf.
fidélité, *f.*, fidelity.
fier, proud.
figure, *f.*, face.
filer, to spin.
fille, *f.*, daughter, girl.
fils, *m.*, son.
fin, *f.*, end; à la —, finally.
finir, to end.
firmament, *m.*, heavens.

fixer, to fix.

flamme, *f.*, flame, luster.

flèche, *f.*, arrow.

fleur, *f.*, flower.

fleuve, *m.*, river.

flotter, to float.

foi, *f.*, faith.

fois, *f.*, time.

folie, *f.*, folly, foolish act.

fond, *m.*, bottom, depths, back.

fondre, to melt; — en larmes, to burst into tears.

fontaine, *f.*, fountain, spring, well.

force, *f.*, strength, force.

forêt, *f.*, forest.

former, to form, shape.

fort, strong, powerful; loud.

fou (folle, *f.*), mad, wild; fou, *m.*, mad-man.

foule, *f.*, crowd.

fraîcheur, *f.*, freshness, coolness.

frais (fraîche, *f.*), cool, fresh.

franc (franche, *f.*), frank.

franchement, frankly.

franchir, to cross, pass over.

frapper, to knock, strike.

frère, *m.*, brother.

froid, cold; avoir —, to be cold.

front, *m.*, forehead.

fuir, to flee.

G

garde, *f.*, guard, heed.

gauche, *f.*, left hand; *adj.*, left.

géant, *m.*, giant.

genou, *m.*, knee.

geste, *m.*, gesture, movement.

glace, *f.*, ice; mirror.

glisser, to slip, glide.

gorge, *f.*, throat.

gouffre, *m.*, abyss.

graduellement, gradually.

grand, great, tall, large, wide.

grandir, to grow, become greater.

grand-père, *m.*, grandfather.

grave, serious.

grimper, to climb.

grincer, to creak, grind.

gris, gray.

grotte, *f.*, grotto, cave.

guérir, to cure.

guerre, *f.*, war.

guider, to guide.

H

habiter, to inhabit, live in.

habitude, *f.*, habit; d'—, usually.

haie, *f.*, hedge.

haine, *f.*, hatred, hate.

haleine, *f.*, breath.

hasard, *m.*, chance.

hâte, *f.*, haste.

hâter (se), to make haste.

haut, high; *subs. m.*, height, top.

herbe, *f.*, grass.

heure, *f.*, hour; o'clock; tout à l'—, in a moment, a moment ago.

heureux, happy, fortunate.

hier, yesterday.

hisser, to hoist, lift.

hiver, *m.*, winter.

hola! holla!

homme, *m.*, man.

horloge, *f.*, clock.

hors (de), beyond, out of.

huitième, eighth.

humain, human.
humide, damp, humid.

I

ici, here; par —, on this side.
idée, f., idea.
immédiatement, at once.
immobile, motionless.
immobiliser (s'), to become still.
importer, to import, matter; n'importe, no matter.
incendie, f., burning.
incliner, to bow.
inconnu, -e, m. & f., unknown, stranger.
indécis, vague.
indifférent, indifferent.
inépuisable, inexhaustible.
infatigable, tireless.
innombrable, numberless.
inonder, to cover, flood.
inopinément, unexpectedly.
inquiet, uneasy, restless.
inquiéter, to trouble; s'—, to be uneasy.
inquiétude, f., uneasiness.
insouciant, careless, heedless.
interdire, to forbid.
intérieur, m., interior, inside.
intermédiaire, m., medium.
interpeller, to question, address.
interroger, to question.
interrompre, to interrupt.
introduire, to bring in.
inutile, useless.
ivre, intoxicated.

J

jaloux, jealous.

jamais, never, ever.
jardin, m., garden.
jardinier, m., gardener.
jet, m., fountain.
jeter, to throw.
jeu, m., game, playing.
jeune, young.
joie, f., joy.
joindre, to join, clasp.
joue, f., cheek.
jouer, to play.
jour, m., day.
journée, f., day, day-long
joyeux, joyful.
juger, to judge.
jurer, to swear.
jusque, up to, until.
juste, exact, right; adv., exactly.

L

là, there.
lac, m., lake.
lâcher, to release.
laine, f., wool.
laisser, to leave, let.
lame, f., blade; sword; wave.
lampe, f., lamp.
lanterne, f., lantern.
laquelle, which.
largement, largely, widely
larme, f., tear.
las, tired.
laver, to wash.
leçon, f., lesson.
lent, slow.
lequel, which.
lettre, f., letter.
leur, to them; their, them.
lever, to raise; se —, to rise.
lèvre, f., lip
lézarde, f., crack, crevice.

libre, free.

lieu, *m.*, place.

ligne, *f.*, line.

lit, *m.*, bed.

loin, far, a long way from; *subs. m.*, distance.

long, *m.*, length; le —, along.

long, -ue, long.

longtemps, a long time.

longuement, for a long time.

lorsque. when.

loup, *m.*, wolf.

lourd, heavy.

lui, to him, he, him, to her, to it.

lumière, *f.*, light.

lune, *f.*, moon.

lutte, *f.*, struggle.

lutter, to struggle.

M

maigrir, to grow thin.

maille, *f.*, mesh.

main, *f.*, hand.

maintenant, now.

mais, but; — oui, why yes.

maison, *f.*, house.

maître, *m.*, master.

mal, *m.*, harm, ill, evil; *adj.*, ill, bad; faire —, to hurt.

malade, sick.

maladie, *f.*, illness.

maladif, in ill health.

malgré, in spite of.

malheur, *m.*, misfortune.

malheureux, unhappy, unfortunate.

manteau, *m.*, cloak.

marbre, *m.*, marble.

marche, *f.*, march, movement, course.

marcher, to walk.

mari, *m.*, husband.

mariage, *m.*, marriage.

matin, *m.*, morning.

mauvais, bad, wicked; rough.

méchant, wicked.

médecin, *m.*, physician.

mêler, to mingle, tangle.

même, self, same, even; tout de —, all the same.

ménager, to spare, protect.

mener, to lead, bring.

mentir, to lie, deceive.

mer, *f.*, sea.

merci, thanks.

mère, *f.*, mother.

mettre, to put; — au monde, to give birth to.

Michel (*pr. name*), Michael.

midi, *m.*, noon.

mien (mienne, *f.*), mine.

mieux, better.

milieu, *m.*, middle, midst.

mille, *f.*, thousand.

millier, *m.*, thousand, thousand-fold.

minuit, *f.*, midnight.

miraculeux, miraculous.

misère, *f.*, trouble, misery.

mi-voix, *f.*, low-voice.

moi, me, I; to me.

moi-même, myself.

moindre, lesser, least.

moins, less; du —, at least.

mois, *m.*, month.

moisson, *f.*, harvest.

mon, ma, *pl.* mes, my.

monde, *m.*, world, people, society; tout le —, everybody.

montagne, *f.*, mountain.

monter, to climb, go up.

montrer, to show.

mort, *f.*, death; *adj.*, dead.

morte, *f.*, dead girl or woman.
mortel, mortal, deathly.
mot, *m.*, word.
mouche, *f.*, fly.
mouillé, wet.
moule, *m.*, mold.
mourir, to die.
mousseline, *f.*, muslin.
mouton, *m.*, sheep.
mouvement *m.*, movement.
muet, mute, silent.
mur, *m.*, wall.
mûr, ripe, mature.
murer, to wall up.
murmure, *m.*, murmur.
murmurer, to murmur, complain.
mystérieux, mysterious.

N

naître, to be born.
naturel, natural.
naufrage, *m.*, ship-wreck.
navire, *m.*, ship.
ne, not; —... pas, not; —... jamais, never; —... plus, no longer; —... rien, nothing; —... que, only.
né, born.
néanmoins, nevertheless.
nerveusement, nervously.
net, clear, distinct.
nettoyer, to clean.
neuf, nine.
neuvième, ninth.
ni, neither; ni ... ni, neither ... nor.
noces, *f. pl.*, wedding.
noir, dark, black; *subs. m.*, dark; faire —, to be dark.
nombreux, numerous.

nommer, to name, call.
non, no.
notre (*pl.* nos), our; nôtre, ours.
nous-mêmes, ourselves; de —, of our own accord.
nouveau (nouvelle, *f.*), new.
nouveau-né, *m.*, newly-born.
nouvelle, *f.*, news.
nuage, *m.*, cloud.
nuit, *f.*, night.

O

obéir, to obey.
obscure, dark, obscure.
obscurité, *f.*, darkness.
observer, to watch.
odeur, *f.*, odor.
œil, *m.*, eye.
œuvre, *f.*, work.
offenser, to offend.
offrir, to offer.
oiseau, *m.*, bird.
ombre, *f.*, shade, shadow.
on (l'on), one, they, people.
oncle, *m.*, uncle.
ondulation, *f.*, winding.
onze, eleven.
or, *m.*, gold.
ordinaire, ordinary, usual; d'—, usually.
oreille, *f.*, ear.
oreiller, *m.*, pillow.
organique, organic.
os, *m.*, bone.
oser, to dare.
où, where, whence, when.
ou, or.
oublier, to forget.
oui, yes.
ouvert, open.
ouvrir, to open.

P

paisiblement, peacefully.

palais, *m.*, palace.

pâle, pale.

palpiter, to throb, flutter.

par, by, through.

paraissant, appearing.

paraître, to appear.

parc, *m.*, park.

parce que, because.

pardonner, to forgive.

parfois, sometimes.

parler, to speak.

paroi, *f.*, wall, side.

parole, *f.*, word, speech.

part, *f.*, part; side.

partie, *f.*, part.

partir, to depart.

partout, everywhere.

parvenir, to arrive, succeed.

pas, *m.*, step.

pas, not, no.

passant, *m.*, passer-by.

passer, to pass; se —, to take place, pass.

pâte, *f.*, paste, dough.

pauvre, poor; *subs. m. & f.*, beggar.

pays, *m.*, country.

paysan, *m.*, peasant.

peigner, to comb.

peine, *f.*, pain; trouble, difficulty; à —, scarcely; ce n'est pas la —, it is not worth while.

pelouse, *f.*, lawn.

pencher (se), to lean over.

pendant, during; — que, while.

pendre, to hang.

pénétrer, to penetrate.

penser, to think.

perdre, to lose.

père, *m.*, father.

péril, *m.*, danger.

perron, *m.*, step, flight of steps, platform.

personnage, *m.*, character (of a play).

personne, *f.*, person; *pron.*, nobody, no one.

petit, small, little.

petite-fille, *f.*, grand-daughter

petite-mère, *f.*, little-mother (term of endearment).

petit-fils, *m.*, grand-son.

petit-père, *m.*, little-father (child's term of endearment).

peu, *m.*, little; *adj.*, little, few; avant —, shortly.

peuple, *m.*, people.

peur, *f.*, fear.

peut-être, perhaps.

phare, *m.*, light-house.

phrase, *f.*, sentence.

pièce, *f.*, piece; room; play.

pied, *m.*, foot.

piège, *m.*, snare.

pierre, *f.*, stone.

pilier, *m.*, pillar.

piquer, to prick.

pire, worse.

pis, worst, worse.

pitié, *f.*, pity.

plage, *f.*, beach.

plaire, to please.

plante, *f.*, plant.

planter, to plant.

plein, full.

pleurer, to weep, cry.

pleurs, *m. pl.*, tears.

pleuvoir, to rain.

plomb, *m.*, lead.

plonger, to plunge, immerse.

plupart, *f.*, greater number.

plus, more; ne ... —, no longer; non —, neither.

plusieurs, several.

plutôt, rather, sooner.

poème, *m.*, poem.

poids, *m.*, weight.

point, *m.*, point.

point, not at all; ne ... —, not at all.

pointe, *f.*, point; — des pieds, tiptoes.

poitrine, *f.*, breast, chest.

politique, political.

pont, *m.*, bridge, deck.

port, *m.*, harbor.

porte, *f.*, door, gate.

porter, to carry, bear; mieux portante, in better health.

porteur, *m.*, carrier, bearer.

portier, *m.*, door-keeper.

poupée, *f.*, doll.

pour, to, in order to, for; — que, in order that.

pourchassé, pursued.

pourquoi, why.

poursuivre, to pursue.

pousser, to push; close.

pouvoir, to be able; can, may.

prairie, *f.*, meadow.

précaution, *f.*, care, precaution.

précipiter, to precipitate; se —, to rush.

préférer, to prefer.

premier, first.

prendre, to take, get; get hold of.

préparer, to prepare.

près (de), near, near to; de —, near at hand.

presque, almost.

pressentiment, *m.*, presentiment.

presser (se), to hasten.

prêt, ready.

prêter, to lend.

prévenir, to inform in advance.

prévoir, to foresee.

prie-Dieu, *m.*, praying-stool.

prier, to pray.

prière, *f.*, prayer.

princesse, *f.*, princess.

printemps, *m.*, spring.

prisonnier, -e, *m. & f.*, prisoner.

probablement, probably.

prochain, next; soon.

prodigieusement, prodigiously.

profond, profound, deep.

profondément, profoundly, deeply.

profondeur, *f.*, depth.

projet, *m.*, project, plan.

propos, *m.*, subject; à — de, with regard to.

propre, own; proper.

provenir, to come from.

prudemment, cautiously.

puis, then.

pur, pure.

Q

quand, when.

quarante, forty.

quart, *m.*, quarter.

quartier, *m.*, quarter; block.

quatre-vingt-trois, eighty-three.

quatrième, fourth.

que, that; what, whom, how! than; ne ... que, only.

quel, -le, which, what.

quelque, some, any, a little, few; quelques-uns, a few; quelqu'un, someone, any-one.

quelquefois, sometimes.

quenouille, *f.*, distaff.

quereller, to scold; se —, to dispute.

qui, who, whom, which.

quitter, to leave.

quoi, what, which; avoir de —, to have enough.

R

racine, *f.*, root.

raconter, to relate.

raison, *f.*, reason, cause; avoir —, to be right.

raisonnable, reasonable.

raisonneur, *m.*, reasoner, in-terpreter.

ramasser, to pick up.

ranger (se), to line up.

rappeler (se), to recall.

rapprocher (se), to draw near.

rare, rare, few.

rayon, *m.*, ray.

recéler, to conceal.

recevoir, to receive.

recherche, *f.*, search.

reconnaissance, *f.*, gratitude.

reconnaître, to recognize.

reculer, to retire, step back.

redresser (se), to straighten up.

refermer, to close again.

reflet, *m.*, reflection.

réfugier (se), to take refuge.

refus, *m.*, refusal.

refuser, to refuse.

regard, *m.*, look; expression.

regarder, to look, look at,

face; avoir beau —, to look in vain.

régner, to rule, prevail.

relever, to raise again.

remarier, to remarry.

remarquer, to notice, take note of.

remuer, to stir.

rencontre, *f.*, meeting, acci-dental meeting.

rencontrer, to meet.

rendre, to render, make.

renouveler, to renew.

rentrer, to return, reënter.

reparaître, to reappear.

répondre, to answer.

repousser, to repulse.

reprendre, to take again.

reprise, *f.*, recommencing; à plusieurs —s, several times

reproche, *m.*, reproach.

respirer, to breathe.

ressembler, to resemble.

reste, *m.*, remainder.

rester, to remain.

retenir, to retain.

retirer, to draw back, recover.

retour, *m.*, return.

retourner (se), to turn around.

retrouver, to find again.

rêve, *m.*, dream; fancy.

réveil, *m.*, awakening.

réveiller, to wake up; se —, to wake, be aroused.

revenir, to return, come back.

rêver, to dream, meditate.

revirement, *m.*, sudden change.

revivre, to live again, revive.

revoir, to see again.

révulser (se), to fall over.

rez-de-chaussée, *m.*, ground-floor.

rien, *m.*, nothing; anything.

rire, to laugh.

rive, *f.*, shore, bank.

roc, *m.*, rock, stone.

rocher, *m.*, rock, cliff.

roi, *m.*, king.

ronce, *f.*, briar.

ronde, *f.*, round, patrol.

roseau, *m.*, reed.

rosée, *f.*, dew.

rougi, reddened; red-hot.

route, *f.*, route, highway.

rumeur, *f.*, noise, clamor.

S

sac, *m.*, sack.

sage, wise, prudent.

saigner, to bleed.

saint, saintly, holy.

saisir, to seize.

salle, *f.*, hall, room.

sang, *m.*, blood.

sanglier, *m.*, wild-boar.

sanglot, *m.*, sob.

sangloter, to sob, weep.

sans, without.

saule, *m.*, willow.

sauter, to leap; — aux yeux, to stand out clearly.

sauver, to save; se —, to run away.

savoir, to know, know how; be able.

se, himself, herself, themselves, to himself, *etc.*; each other.

seigneur, *m.*, lord, Sir, master.

sein, *m.*, breast.

sel, *m.*, salt.

selon, according (to).

semaine, *f.*, week.

sembler, to seem, appear.

sens, *m.*, sense.

sentier, *m.*, path.

sentir, to feel, know, recognize, smell.

séparément, separately.

séparer (se), to separate.

sept, seven.

septième, seventh.

sérieusement, seriously.

serrer, to press.

serrure, *f.*, lock.

servir, to serve, be of use.

seuil, *m.*, threshold, door-sill.

seul, alone.

seulement, only.

si, if, whether.

si, yes (to negative question); so.

signe, *m.*, sign.

silencieux, silent.

simplement, simply.

sincèrement, sincerely.

sinon, if not.

six, six.

sixième, sixth.

sœur, *f.*, sister.

soi, oneself, himself, self; —-même, himself.

soie, *f.*, silk.

soif, *f.*, thirst; avoir —, to be thirsty.

soin, *m.*, care.

soir, *m.*, evening.

soleil, *m.*, sun, sunlight.

solide, solid, strong.

sombre, dark, gloomy.

sommeil *m.*, sleep; avoir —, to be sleepy.

sommeiller, to doze.

sommet, *m.*, summit.

son, sa, *pl.* ses, his, her, its.

son, *m.*, sound.

songer, to think, dream.
sonner, to strike, ring.
sorte, *f.*, sort, manner; de — que, so that.
sortir, *m.*, exit.
sortir, to go out, get out.
soudain, sudden.
souffrant, ill, ailing.
souffrir, to suffer.
soulever, to lift up.
soupçonner, to suspect.
soupirail, *m.*, air-vent.
souple, supple.
source, *f.*, source, spring.
sourd, dull, heavy.
sourire, to smile.
sous, under, beneath.
soutenir, to hold up, support.
souterrain, *m.*, underground passage; *adj.*, underground.
souvenir, *m.*, recollection, memory.
souvent, often.
spiritualiser, to render spiritual.
stalactite, *f.*, stalactite.
subitement, suddenly.
suffire, to suffice.
suite, *f.*, consequence, sequel, succession; tout de —, immediately.
suivre, to follow.
sujet, *m.*, subject.
supporter, to endure.
sur, on, at, upon, over.
sûr, sure.
surpasser, to surpass.
surplomber, to project, hang over.
surprendre, to surprise.
surtout, especially, above all.
symbole, *m.*, symbol.

T

tache, *f.*, stain, spot.
tâcher, to try.
taire, to silence; se —, to be silent.
talus, *m.*, slope.
tandis que, while.
tant, so many, so much, as much; — que, as long as.
tard, late.
tâter, to touch.
tel, such.
témoignage, *m.*, testimony, testimonial, sign.
tempe, *f.*, temple (of the head).
tempête, *f.*, storm.
temps, *m.*, time; weather.
tendre, to extend.
ténèbres, *f. pl.*, darkness.
tenir, to hold; — à, insist on; tiens, hold!
terrasse, *f.*, terrace.
terre, *f.*, earth.
terrible, terrible.
tête, *f.*, head.
tiède, warm.
tien, yours.
tilleul, *m.*, linden-tree.
timide, timid.
tirer, to pull, pull out, take from.
toi, you.
tombeau, *m.*, grave, tomb.
tomber, to fall.
ton, ta, *pl.* tes, your.
torche, *f.*, torch.
tôt, early, soon.
toucher, to touch.
touffe, *f.*, clump, tuft.
toujours, always, still.
tour, *m.*, turn.

tour, *f.*, tower.

tourner, to turn.

tournoyer, to whirl, circle about.

tousser, to cough.

tout (*pl.* tous), all, every, quite; — à fait, entirely, exactly.

trace, *f.*, trace, track, sign.

traîner, to drag.

tranquille, peaceful, quiet.

tranquillité, *f.*, tranquility.

travail, *m.*, work.

travailler, to work.

travers, *m.*, breadth; whim; à —, athwart, through; en —, across.

traverser, to cross.

trébucher, to stumble.

treize, thirteen.

trembler, to tremble.

tremper, to soak, wet.

très, very.

trésor, *m.*, treasure.

tressaillir, to start, tremble.

triste, sad.

tristesse, *f.*, sadness.

trois, three.

troisième, third.

tromper, to deceive; se —, to mistake, be mistaken.

trop, too, too much.

troubler, to confuse, worry, disturb.

troupeau, *m.*, herd, flock.

trouver, to find; se —, to be found.

tuer, to kill.

U

un, une, one.

usage, *m.*, custom, practice.

V

vague, *f.*, wave.

valoir, to be worth, avail, — mieux, to be better.

veillée, *f.*, watch; faire la —, to sit up at night.

veiller, to remain up (awake).

vénérable, venerable, respected.

venir, to come; vient de s'ouvrir, has just opened.

vent, *m.*, wind.

ventre, *m.*, stomach.

venue, *f.*, coming.

vérité, *f.*, truth.

verrou, *m.*, bolt.

vers, toward.

verser, to pour, pour out.

vert, *m.*, green; *adj.*, green.

vêtement, *m.*, clothing.

vêtir, to clothe.

vide, *m.*, emptiness, space.

vie, *f.*, life.

vieillard, *m.*, old man.

vieillir, to grow old.

vieux (vieille, *f.*), old; *subs. m.*, old man.

ville, *f.*, city.

vingt, twenty.

violette, *f.*, violet.

visage, *m.*, face.

visite, *f.*, visit.

visiteur, *m.*, visitor.

vite, quick, quickly.

vitre, *f.*, window-pane.

vivant, living.

vivement, quickly.

vivre, to live.

voici, here is, here are.

voilà, there is, there are; there it is! there!

voile, *f.*, sail; *m.*, veil; à
toutes —s, with full sail.
voir, to see; voyons, come!
voix, *f.*, voice.
voler, to fly
volet, *m.*, shutter.
volontiers, willingly, freely.
volubilité, *f.*, volubility.
votre, *pl.* vos, your; vôtre,
yours.
vouloir, to wish; en — à, to
be angry with.

voûte, *f.*, vault, ceiling.
voyage, *m.*, trip.
voyager, to travel.
vrai, true.
vue, *f.*, sight, view.

Y

y, there, in it, in them.
yeux, *m. pl.*, eyes.